JN094881

桃太郎は盗人なのか？
─「桃太郎」から考える鬼の正体─

著／倉持よつば

はじめに

信じられないことが続いて、
夢だと思いました!!

　私が住んでいる千葉県袖ケ浦市では、「図書館を使った調べる学習コンクール」が夏休みの宿題の1つになっています。

　私が4年生の時、妹（1年生）とお母さんと一緒にはじめて調べ学習をしました。一人でやるのは難しそうだけど妹やお母さんと一緒なら力強いし、なんだかやれそう……、だと思ったからです。

　そのなかで、「どうしてなの？」という疑問を解決するために本をつかって調べました。知らなかったことをたくさん知ることは、とても楽しかったし、調べてわかった時の達成感は忘れられません。

　そして、次の5年生では、自分一人で「調べ学習」に挑戦することにしました。それは、「桃太郎は盗人である」と書かれた1冊の本に出会い、本当にそうなのかを調べてみたいと思ったからです。私は、桃太郎は正義のヒーローだと思っていたので、その本はまちがっているか、ウソをついていると思っていました。はじめは信じられないまま、「桃太郎」の読み比べをしました。

　たくさんの「桃太郎」のお話を読むために、たくさんの人に協力してもらいました。自分一人では、本にすらたどり着くことができなかったと思います。袖ケ浦市立蔵波小学校の学校司書である佐々木悦子先生には岐阜県図書館に桃太郎の「絵本読み比べリスト」があることを教えてもらいました。袖ケ浦市立中央図書館司書のみなさん、なかでも矢倉朋子さんと田坂裕美さんには、千葉県内の図書館だけでなく、国立国会図書館から桃太郎関連の本を探してもらいました。そこでいちばん心に残ったのは、江戸時代に日本ではじめ

て書かれた赤本『むかしむかしの桃太郎』を探してくれたことです（赤本とは、江戸時代に刊行された子ども向けの本のことです）。東京都の多摩図書館にあるということをつきとめてくれ、司書さんは本当にすごいなぁと思いました。だから、困ったことがあると、何でも司書さんに相談するために、夏休みは何度も図書館に通いました。学校の司書さんも公共図書館の司書さんも、本のことなら何でも知っていて、とてもたよることができました。

「桃太郎は盗人なのか？ ―桃太郎から考える鬼の正体―」という調べ学習は、私がはじめて一人で取りくんだ作品です。それが思いがけず、小学生の部（高学年）の「文部科学大臣賞」に選ばれた時は、うれしくてうれしくて夢だと思いました。受賞式では審査員のかたや出版社のかたから、たくさん声をかけてもらったり、ほめてもらったり、物語の主人公になったような幸せな1日を過ごしました。

　この話には続きがありました。信じられないことに、「本を出版しませんか？」と出版社の社長さんに言ってもらったのです。自分の作品が本になって、本屋さんにならぶなんて、「桃太郎は盗人である」と書いてあった本を読んだ時と同じように、「まちがいでしょ？ウソでしょ？」と半信半疑でした。でも、今、ここに私の本ができあがっているなんて、スゴイと思いませんか？

　私は図書館が大好きです。本の中には、私の知らない世界がいっぱいあるからです。調べるたびに新しい疑問や問題が出てきて、どうすればよいか迷った時、いつも助けてくれたのは、司書さんと図書館にある本たちでした。これからも図書館に通います!!

　本当にありがとうございました。

2019年5月5日　　　　　　　　　　　　　　　　倉持よつば

もくじ

● **よつばからのお願い**
本編と資料編はつながっています。本編でこのマークがでたら、資料編も見てください! 本文内の赤字部分は、私が注目したり重要だと感じた箇所を表しています。

調べようと思ったきっかけ

　去年（2017年）は、お母さんと妹と一緒に、高速道路の渋滞について調べ、コンクールで優秀賞・NHK賞という素晴らしい賞をいただきました。その副賞でいただいた本の中に『空からのぞいた桃太郎』（影山徹著、2017年、岩崎書店）という本がありました。手に取ると黄色い帯には、衝撃的なことが書いてあったのです。

　「鬼だから殺してもいい？」

　「あなたはどう思いますか？」

　そしてカードサイズの解説が入っていました。絵本に解説が入っているなんてびっくり!!

　この絵本の桃太郎は、鬼は何も悪さをしていないのに、鬼退治に行くと言って鬼をたおし、鬼の宝ものを取りあげて、おじいさん、おばあさんのもとへ帰っていった……というお話で、私の知っている「桃太郎」の話とはちがっていました。

　「鬼がかわいそう……。桃太郎はひどい!!　桃太郎こそ、悪者だ!!」と思いました。

　その後、解説を読むと、福沢諭吉が「桃太郎は盗人だ」と非難したと書かれていました。福沢諭吉は、1万円札の人です。伝記マンガを読んだので、『学問のすすめ』を書いた人だということは知っています。そんなえらい人が桃太郎を盗人と言っているのです。

　盗人ってどろぼうのことだよね??　村の人々を守る正義の味方だと思っていた桃太郎が盗人!?　どろぼうだって!?　どういうこと??

それと同時に、「鬼は、みんな悪者だと思っていたけれど、鬼ってみんな悪いのかな？」「悪くない鬼もいるんじゃないのかな？」という疑問が出てきました。

　国語の授業で学習した『おにたのぼうし』や『わにのおじいさんのたからもの』に出てくる鬼は、とてもよい鬼でした。なかでも『泣いた赤鬼』に出てくる心やさしい鬼は、とても有名です。

　もしかしたら、桃太郎に出てくる鬼も、本当は、人間に悪さなんてしてなかったんじゃないかと思う気持ちも出てきました。

　そこで私は、桃太郎がどうして盗人だと言われているのか、そして、どうして鬼はいつも悪いと一方的に決めつけられているのかを調べてみたくなりました。

　去年（2017年）は、お母さんと妹と一緒に調べ学習をしましたが、今年は、どうしても自分一人で取りくみたいと思い、目標を決めて進めていこうと思います。

　まずは……福沢諭吉が桃太郎のことを盗人と言っていることについて調べていこう!!

（2018年7月21日　桃太郎神社にて妹と）

7

第一鬼

桃太郎は盗人なのか

（桃太郎神社にて妹と）

桃太郎は
盗人なのだろうか?

　私がはじめておぼえた昔話は、「桃太郎」です。村の人たちを困らせたり、宝ものを奪ったりするとても悪い鬼を、桃太郎がやっつけるところは、私がいちばん好きな場面です。でもその場面から桃太郎が「盗人桃太郎」と思われてしまっているだなんて……。えらくて有名な福沢諭吉が盗人と言っていたとしても、とても信じられません!!

　えらい人だってまちがうことはあるかもしれない。私は、桃太郎は正義の味方であると思っています。

　『空からのぞいた桃太郎』の解説には、「実は『桃太郎』は、そのおかしな点を昔から多くの人に指摘されてきました」と書いてありました。

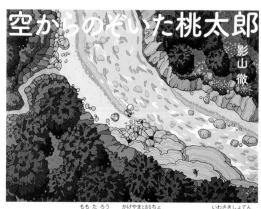

『空からのぞいた桃太郎』（影山徹著、2017年、岩崎書店）

「桃太郎」は、日本で一番有名な昔話です。現代でも、ご家庭や学校で語り継がれていますし、テレビやCMなどにもよく登場します。（中略）そんな誰もが知っている桃太郎に、知られざる「もう一つの顔」があることはご存じでしょうか？　それは、このお話の中によく見ると、おかしなところがいくつもある──ということです。現代の言葉でいえば、「ツッコミどころ」が満載なのです。

抜粋●『空からのぞいた桃太郎』解説（岩崎書店社長［当時］岩崎夏海）より

　桃太郎のお話のどこがおかしいのだろう？　鬼が悪いことをしているのを知った桃太郎が鬼退治に行く……どこもおかしくありません!!

　そこで、『空からのぞいた桃太郎』の解説を読むと、桃太郎がおかしいと指摘していた人は4人いました。

| **福沢諭吉** | 1万円札の人だよね!?　伝記マンガを読んだことがあるよ！　『学問のすすめ』を書いたことも知ってる！ |

| **芥川龍之介** | 芥川賞の人だ!!　「くもの糸」のお話は知ってる！ |

| **池澤夏樹** | 誰かな？　はじめて聞く名前だな。 |

| **高畑勲** | 私が大好きな映画『かぐや姫の物語』の監督だ!!　2018年に亡くなってしまった人だよね。 |

4人の本を
読んでみたい!!

　『空からのぞいた桃太郎』の解説には、4人の考えが書いてあるという本の名前はのっていませんでした。そこで、お母さんにお願いしてインターネットで検索してもらいました。

　絵本ナビ（https://www.ehonnavi.net/style/492/6/）に著者である影山徹さんと岩崎書店代表取締役（当時）の岩崎夏海さんへのインタビュー記事がありました。そこから、本の題名がわかってきました。

● 福沢諭吉 ——→ 『ひゞのをしへ』

● 芥川龍之介 ——→ 『桃太郎』

● 池澤夏樹 ——→ 朝日新聞に掲載された随筆「桃太郎と教科書　知的な反抗精神を養って」（2014年12月2日）に、自身の著作『母なる自然のおっぱい』（1992年、新潮社）からの引用文がのっていました。

● 高畑勲 ——→ スタジオジブリ発行の小冊子『熱風』に収録された「『日本人の心性』の、ある側面について」（2015年2月号）

12

図書館で４人の本を借りよう！

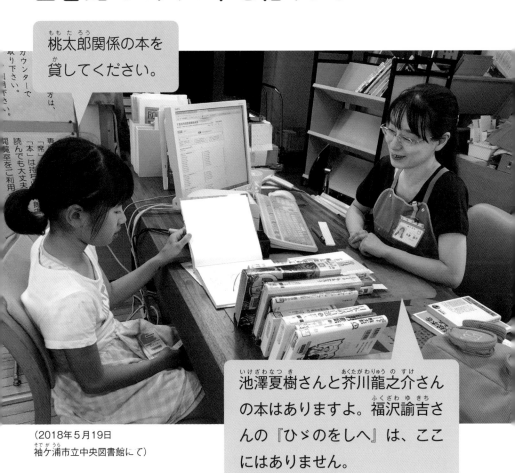

桃太郎関係の本を
貸してください。

池澤夏樹さんと芥川龍之介さん
の本はありますよ。福沢諭吉さ
んの『ひゞのをしへ』は、ここ
にはありません。

（2018年５月19日
袖ケ浦市立中央図書館にて）

福沢諭吉全集を読んでみましたが、『ひゞのをしへ』だけは、ど
うしても見つからず、後日もう一度図書館に行き、相談しました。
すると司書さんが探しておいてくださって、近くだと、木更津市
立図書館に所蔵されていることがわかりました。他にも、私が探
している本が見つかるまで相談にのってくださいました。とても
心強かったです。ありがとうございました。

桃太郎のどこがおかしいのか？本を読もう!!

桃太郎は盗人で悪者
福沢諭吉

桃太郎が、鬼が島に行ったのは、鬼の宝を取りに行くためだったということです。けしからぬことではないですか。宝は、鬼の大事なもので、大切にしまってあるものなのですから、宝の持ち主は鬼です。鬼の物である宝を、意味もなく取りに行くとは、桃太郎は、盗人ともいえる悪者です。（中略）鬼の宝を取って家に帰り、おじいさんとおばあさんに、その宝をあげたというのは、ただ欲のためにしたことで、卑劣千万なことです。

抜粋●『童蒙おしえ草　ひびのおしえ　現代語訳』福澤諭吉著、岩崎弘訳・解説、2016年、KADOKAWA、P370、371より

えっ？　桃太郎が鬼が島に行ったのは、鬼をたおすためじゃなかったの？　宝を取りに行っただけなの？　信じられない!! 桃太郎盗人論は、ここからはじまったんだね。

鬼が悪者に決まってる！

罪のない鬼
芥川龍之介

　桃から生れた桃太郎は鬼が島の征伐を思ひ立つた。思い立つた訳はなぜかといふと、彼はお爺さんお婆さんのやうに、山だの川だの畑だのへ仕事に出るのはいやだつたせゐである。

　桃太郎はかういふ罪のない鬼に建国以来の恐ろしさを与へた。

　「鬼はあなた様にどういふ無礼を致したのやら、とんと合点が参りませぬ」

抜粋●筑摩全集類聚『芥川龍之介全集３』芥川龍之介著、1971年、筑摩書房、P216〜220（桃太郎）より

　この本に出てくる桃太郎は、本当にサイテーな人だった。鬼たちは何も悪さをしていない。むしろ人間をこわがっているほどだった。鬼は何もしていないのに……。

これは本当に鬼がかわいそう……。「桃太郎は盗人」論に完敗だ……。

『筑摩全集類聚
芥川龍之介全集３』

侵略戦争の思想
池澤夏樹

[桃太郎は、] 一方的な征伐の話だ。鬼は最初から鬼と規定されているのであって、桃太郎一族に害をなしたわけではない。（中略）彼らは鬼ヶ島を攻撃し、征服し、略奪して戻る。この話には、侵略戦争の思想以外のものは何もない。

抜粋●『母なる自然のおっぱい』池澤夏樹著、1992年、新潮社、P54より

一方的!?　鬼は最初から鬼と規定されている!?　鬼の規定というのは、鬼は悪い存在であると、はじめから決めつけてるってことだよね。

この本は高校の教科書にのっていたんだって。侵略戦争は、鬼が先にやったんでしょ!!

『母なる自然のおっぱい』

侵略的物語
高畑勲

> 元々「桃太郎」は、もう明治初年からきわめて侵略的な物語だったことを忘れるわけにはいきません。
>
> 引用●『熱風』2015年2月号、特別収録「日本人の心性」の、ある側面について（高畑勲）、P53より

鬼が侵略してきたんでしょ!!

侵略的!?　どういうこと？悪いのは鬼じゃなかったの？桃太郎は、鬼から何を奪いとったの？

他にも桃太郎はおかしいと書いてある本があった!

「鬼」の目で桃太郎を見れば、「わざわざ遠くからやってきて乱暴を働き、宝まで奪っていった悪い侵略者」ではないか?

引用●『NHK歴史発見8』NHK歴史発見取材班編、1993年、角川書店、P43より

また出た!「侵略者」! 鬼の方が侵略者でしょ。

鬼を退治して、わんさと財宝を持ち帰る。これは掠奪行為ではないか。私有財産権の侵害である。

引用●『昔話にはウラがある』ひろさちや著、1996年、新潮社、P223より

私有財産権?? 桃太郎が力尽くで奪ったわけじゃない。鬼が自分から宝ものを出したはず。

犬、猿、きじを率いて鬼ヶ島に乗りこみ、鬼退治を果たした桃太郎。しかし鬼の側からすれば、桃太郎のほうが略奪者。暴行したうえに、宝を奪うなんて……。

引用●『裁判長! 桃太郎は「強盗致傷」です!』小林剛監修、2010年、永岡書店、P53より

鬼になったつもりで考えてみたら、桃太郎は略奪者になっちゃうんだ!!

「退治」といえば聞こえはええが、実はなーんもしとらん者を力でねじふせて金品を奪う、早い話が「強盗」やあらへんのか

（中略）

あとはじいさん、ばあさんと末長うしあわせに暮らして、めでたしめでたしとなったわけや。鬼の金でな。

抜粋●『日本おとぎばなし集　ももたろうの悪事』TAMAYO著、1995年、青山出版、P18、28より

たしかに……。鬼からもらった宝もので桃太郎たちは幸せに暮らしたんだ！

これだけたくさんの人が「桃太郎」のお話をおかしいと言っているのなら、本当に桃太郎は盗人なのかな？　う〜ん。よくわからなくなってきた。一度落ち着いて、桃太郎のおかしなところをまとめてみようと思います。

鬼の視点からえがかれたという錦絵です。なんだか、鬼は悲しそうな顔をしているかも。

「月耕随筆」尾形月耕画（出典：国立国会図書館デジタルコレクション）

本の意見をまとめてみよう

「桃太郎はおかしい」と書いてあるたくさんの本の中から、共通していることを3つにまとめました。

❶ 桃太郎は、急に鬼退治に行くと言い出す

❷ 鬼は何も悪いことをしていない

❸ 桃太郎は、鬼の宝を盗み侵略した

私のイメージする桃太郎像がガタガタと崩れていく……。

私なりに ❶〜❸までのことを考えてみたい

❶ 今までは、鬼が人々に悪さをしたから、桃太郎が鬼をたおすために鬼退治に行ったと思っていました。しかし、福沢諭吉、芥川龍之介、池澤夏樹、高畑勲の４人の意見をまとめると、桃太郎は急に鬼が島に行きたくなったということになるのだろうか。

❷ 私が知っている桃太郎では、鬼が宝ものを奪ったり、人々をおそったりするなどの悪いことをしていました。だから桃太郎が鬼退治に行ったんじゃないの？　と思います。もし鬼が何も悪いことをしていないとすれば、どうして桃太郎は鬼が島に行ったのだろう？

❸ 鬼の宝ものは、もともと人間のものなんじゃないの？　それを桃太郎は取りかえしてくれたんじゃないの？　桃太郎がもし鬼の宝を略奪するために鬼が島に行ったのだとしたら、桃太郎は正義の味方じゃなくなってしまうのでは!?

❶〜❸までを考えてみると、「桃太郎はどうして鬼が島へ行ったのか？」という疑問が出てきました。もし鬼が悪いことをしてなかったのなら、鬼が島に行った理由は何だろう？

桃太郎は、どうして鬼が島に行ったのだろう?

『空からのぞいた桃太郎』の解説ではこんなふうに説明しています。

> 桃太郎のさまざまなバージョンの中には、「鬼が悪さをしていたから」と説明しているものもあります。しかし、特に昔の桃太郎では、桃太郎が唐突に言い出した——というケースがほとんどです。そのため講談社版の絵本では、鬼退治に行く理由をわざわざ解説しているくらいです。
>
> 引用●『空からのぞいた桃太郎』影山徹著、2017年、岩崎書店、解説（岩崎書店社長［当時］岩崎夏海）より

鬼が悪さをしたか
ら行くんでしょ！！
ちがうの？？？

私が知っている桃太郎は、鬼が
悪さをしたから鬼退治に行き、人々
の宝ものを取りかえして帰ってく
るという話だよ。唐突に言い出す
うえに、鬼退治に行く理由をわざ
わざつけたすなんて！！

えっ？？

　桃太郎のおかしいところを調べてみたら、正義の味方「桃太郎」
に少しずつ「？」が生まれてきました。それでもまだ「桃太郎は
盗人」とは思えません。
　桃太郎は、なぜ鬼が島に行ったのかを調べれば、ハッキリとわ
かるかもしれない。よしっ！　次は、鬼退治に行く理由を調べて
みよう。

桃太郎の本を
たくさん読むぞー！！

第二鬼

鬼退治に行った理由とは?
～「桃太郎」読み比べ～

（2018年7月21日　岐阜県図書館にて）

桃太郎が鬼退治に行った理由を調べよう！

調べかた

学校の図書室や袖ケ浦市立中央図書館、木更津市立図書館で、「桃太郎」の本をたくさん借りて読んでみる。

チェックするところ

気になるところはいっぱいあるけど、３つの視点だけをチェックしていこう！

３つの視点

❶鬼退治に行く理由がどんなふうに書かれているか。

❷桃太郎が唐突に「鬼が島に行く」と言っているか。

❸鬼が悪さをしているか、していないか。

まとめかた

❶「桃太郎」読み比べリストを作り、自分が知っている桃太郎とちがうところや鬼について書かれていることをまとめる。

❷鬼退治に行った理由を表にまとめて比べる。

「桃太郎」読み比べリストは資料編①（→P87）を見てください。項目をしぼってまとめていくよ。

結論を出す

赤…鬼退治に行く理由が書かれている。鬼が悪さをしている。　　　━━▶　桃太郎は盗人ではない。

青…唐突に鬼が島に行くと言う。鬼が悪さをしていない。　　　━━▶　桃太郎は盗人で侵略者!!

盗人でなかったら赤。盗人だったら青に色分けした表から結論を出そう。

桃太郎の本を読み比べてみる

赤…桃太郎は盗人ではない。　青…桃太郎は盗人。　黒…不明

本の題名／著者名／刊行年／出版社名	鬼退治に行く理由	鬼はどんな悪いことをしていたか
日本童話宝玉選　改訂版／佐藤春夫監修／1975年／小学館	鬼が悪さをしたから。	人の物を取ったり、人を食べたりしてあばれた。
ももたろう（えほん・こどもとともに）／赤座憲久文・小沢良吉絵／1991年／小峰書店	鬼が悪さをしたから。	旅人をおそったり、むすめや子どもをさらっていった。
ももたろう（講談社の創作絵本）／代田昇文・箕田源二郎絵／1978年／講談社	鬼が悪さをしたから。	しお、米、あわ、若いむすめや子どもをさらう。
ももたろう（松谷みよ子むかしばなし）／松谷みよ子作・和歌山静子絵／1993年／童心社	鬼が悪さをしたから。	村の畑をあらしたり、むすめや子どもをさらう。
ももの子たろう（むかしむかし絵本）／大川悦生文・箕田源二郎絵／1967年／ポプラ社	とんびに「おにたいじにいけっちゃ」と言われて行く。	むすめや子どもをさらったり、田んぼや畑をあらしたり、悪い病気をはやらせた。
ももたろう（日本の昔話えほん）／山下明生文・加藤休ミ絵／2009年／あかね書房	鬼が悪さをしたから。	畑をあらし、むすめをさらい、お城の宝ものを盗んだ。
ももたろう／馬場のぼる文・絵／1999年／こぐま社	鬼が悪さをしたから。（殿様に「おにどもをたいじしてまいれ」と言われて行く）	あばれた。

本の題名／著者名／刊行年／出版社名	鬼退治に行く理由	鬼はどんな悪いことをしていたか
桃太郎が語る桃太郎（１人称童話シリーズ）／クゲユウジ文・岡村優太絵／2017年／高陵社書店	鬼が悪さをしたから。	宝をねこそぎ取る。
ももたろう（世界傑作絵本シリーズ）／松居直文・赤羽末吉絵／1965年／福音館書店	からすに鬼が悪さをしているといわれて鬼退治に行った。	村の米をとったり、姫をさらったりした。
新・講談社の絵本　桃太郎／千葉幹夫文・構成・斎藤五百枝絵／2001年／講談社	鬼が悪さをしたから。	らんぼうをはたらいたり、物を奪ったりする。
子どもに語る　日本の昔話3（ももたろう）／稲田和子・筒井悦子著／1996年／こぐま社	殿様が「鬼退治に行かせよう」と言った。	物をとったりあばれたりしたが、涙を流してあやまった。
岡山県の民話／日本児童文学者協会編／2000年／偕成社	殿様に「おにたいじにいけ」と言われる。	鬼は悪くなかった。
むかしむかしあるところに／楠山正雄作／1996年／童話屋	なし	「悪い鬼ども」と書かれている。
日本昔話3ももたろう／おざわとしお再話・赤羽末吉画／1995年／福音館書店	なし	村をあらしたり、子どもをさらったりした。
みんなでやろうももたろう（わたしのえほん）／さくらともこ再話・せべまさゆき絵／2001年／PHP研究所	鬼が悪さをしたから。	くわしくは書いていない。
それからのおにがしま／川崎洋さく・国松エリカえ／2004年／岩崎書店	なし	なし
空からのぞいた桃太郎／影山徹著／2017年／岩崎書店	なし	本文では書かれていない。桃太郎が宝ものをとりあげた。解説を読むと、鬼は悪くなかった。
筑摩全集類聚芥川龍之介全集3／芥川龍之介著／1971年／筑摩書房	仕事に出るのがいやだったから。	鬼は悪くなかった。むしろ桃太郎が悪い。

　全部で18冊の桃太郎を読みました。同じ「桃太郎」の本でも、ストーリーが色々あっておもしろかったです。でも正義の味方だと

思っていた桃太郎だったのに、なまけたり、全然手伝いもしなかったりする桃太郎もいて、すごくショックでした。こんなサイテーな桃太郎だったら盗人と言われてもしょうがないのかもしれない。

　表にして色分けしたら、18冊中、11冊が赤で、「桃太郎は盗人」とあらわす青は、たった2冊でした。次は、読み比べ表からわかったことをまとめてみようと思います。

まとめ

○色々な桃太郎がいた。

①働き者で、おじいさん、おばあさんを助ける。

②なまけ者で、全然働かないし、手伝いもしない。

③いつも寝てばかりで仕事をしない。

④家来にきびだんごを半分しかやらない。ケチ。

○鬼退治に行く理由も本によってちがう。

①からすやとんびに「鬼退治に行け」と言われる。

②殿様に鬼退治に行くように命令される。

③鬼が悪さをしていると聞いて、自分で行く。

○鬼がした悪さも本によってちがう。

①人をさらったり、食べたりする。

②人々の宝ものを盗む。

③お姫様をさらう。

④田んぼや畑を荒らす。

⑤悪い病気をはやらせる。

桃太郎は、力持ちでやさしく、働き者というイメージだったけど、なまけ者だったり、寝てばっかりの最悪な桃太郎がいました。きびだんごを半分しかあげないケチな桃太郎までいました。

　でも、悪い鬼を退治して宝ものを持ち帰るというラストは、ほとんど同じでした。次は、まとめから結論を出していこうと思います。

　私が読んだ「桃太郎」の18冊の中で11冊が、鬼は何かしらの悪いことをしていました。5冊は、桃太郎が鬼が島に行く理由が書かれていなかったり、鬼がやった悪さの内容が書かれていなかったりしました。

　そして、最後に残った2冊のみが、鬼は悪さをしていなかったし、なぜか急に鬼退治に行こうと桃太郎が言い出していました。

結論

　桃太郎は、悪い鬼を退治するために鬼が島に行った。桃太郎は盗人ではない‼

　やっぱり桃太郎は盗人ではなかった‼

ばんざ〜い！ 　ばんざ〜い！

　いや、まてよ。たった18冊の桃太郎の本だけで結論を出してもよいのだろうか……。もっとたくさんの「桃太郎」の本を読んでから結論を出した方がよいのではないかな……。

　そこで、袖ケ浦市立中央図書館の司書さんである矢倉朋子さんに聞いてみました。

もっとたくさんの桃太郎の本を読んでみたいのですが、図書館にありますか？

よつば

結末がちがったり、話の内容がかわっているものは、置いてないんです。だから「桃太郎」の絵本は、数冊しか置いてないんですよ。

司書の矢倉朋子さん

　ガーン。そういえば、桃太郎の絵本は、ほとんど学校の図書室で借りたんだった！！　もっとたくさんの桃太郎の本を読みたいのに……。どうしよう。

　お母さんに、もっと桃太郎の本を読んでみたいことを相談してみました。

お母さんの友だちに、蔵波小学校で学校司書さんをしている人がいるから聞いてみたら？

お母さん

　ということで、袖ケ浦市立蔵波小学校の佐々木悦子先生に相談しました。

32

私の先輩に聞いてみたら、岐阜県図書館に、桃太郎の「絵本読み比べリスト」があると教えてもらいました。一度、ホームページで調べてみたらどうかな？

（2018年8月1日
袖ケ浦市立中央図書館にて
佐々木悦子先生と）

桃太郎の「絵本読み比べリスト」!?　見てみたい!!　お母さんにたのんで、岐阜県図書館のホームページで調べてもらおう!!

あったぁぁぁぁぁっ!!

ももたろうの「絵本読み比べリスト」73冊ありました。

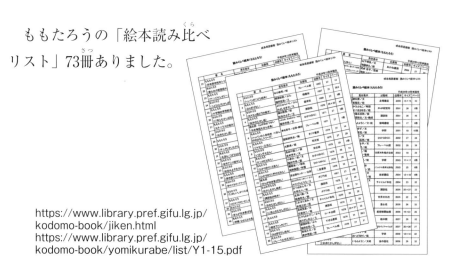

https://www.library.pref.gifu.lg.jp/
kodomo-book/jiken.html
https://www.library.pref.gifu.lg.jp/
kodomo-book/yomikurabe/list/Y1-15.pdf

「桃太郎」の読み比べ リストの絵本を読みたい!

　岐阜県図書館に電話をしたら、「桃太郎」の本が73冊全部そろっているとのことでした。もう、これは、岐阜県図書館に直接行くしかない!!　ということで、夏休みの初日に行ってきました。

（2018年7月21日　岐阜県図書館にて妹と）

　岐阜県図書館に行くと、桃太郎の読み比べ絵本を74冊用意してくださっていました。（『空からのぞいた桃太郎』の絵本が増えて74冊になっていました）

（2018年7月21日
岐阜県図書館にて）

74冊の桃太郎を読んで、前回の読み比べの3つの視点でチェックしよう!

❶「絵本読み比べリスト」の74冊を読んで、前回の読み比べ（→P 26）の3つの視点をチェック。

❷鬼退治に行く理由が書いてなかったり、鬼が悪さをしたとは書かれていなかったりしている本を表にまとめて比べる。

❸桃太郎は盗人なのか？　の結論を出す。

❷にあてはまるのは74冊中4冊だけだった!!

リスト番号	本の題名	著者名	出版社名	鬼退治に行く理由や鬼がやった悪いこと
49	ももたろう（CD English）	ルミコ・バーンズ・さいとうまり	学研	急に鬼退治に行くと言い出した。桃太郎は、宝ものを勝手に持ち帰った。
56	ももたろう（世界の名作童話動く絵本）	平田昭吾・大野豊	サンスポ開発	鬼を見たくなって鬼が島に行った。鬼が悪さをしたとは書いていなかった。
67	ももたろう（日本語＆英語 CDつき絵本）	なかむらともこ・すずきさゆり・ほんだとよくに	ラボ教育センター	急に鬼退治に行くと言い出した。鬼が悪さをしたとは書いていない。鬼の宝を持ち帰った。
74	空からのぞいた桃太郎	影山徹	岩崎書店	鬼は悪くなかった。宝ものを鬼から奪ってきた。

まとめ

○74冊中70冊は、悪い鬼を退治するために桃太郎は鬼が島へ行った。

○74冊中、1冊は鬼を見たくなり鬼が島へ行った。2冊は急に鬼退治に行くと言い出した。1冊は鬼は何も悪くなかった。

結論パート2

74冊の桃太郎の本を読んでみたが、桃太郎は人々を守るため、悪い鬼を退治するために鬼が島に行った。桃太郎は盗人ではない!!

う～ん。桃太郎の本を74冊読んでみたけれど、どう考えても、桃太郎は盗人だとは思えなかった。なまけたり、寝ていたりする最悪な桃太郎もいたけれど、悪い鬼を退治したのだから、やっぱり桃太郎は正義の味方なんだ!!　でも……どうして、福沢諭吉たちは桃太郎を盗人だと思ったのだろう？

そこでもう一度、『空からのぞいた桃太郎』の解説を読んでみました。

［鬼は］近年の桃太郎では、「近隣の村から物を盗んだ犯罪人」と描かれることが多いのですが、やっぱり昔の桃太郎には、そうした説明が一切なく、単に「悪」として描かれることがほとんどです。

引用●『空からのぞいた桃太郎』影山徹著、2017年、岩崎書店、解説（岩崎書店社長［当時］岩崎夏海）より

えっ!?　昔の桃太郎？　いつぐらいの桃太郎なのかな？　よし!!　次は、昔の桃太郎について調べていこう。

第三鬼
かわっていく桃太郎

（2018年7月21日　桃太郎神社にて　妹と）

昔の桃太郎を
読んでみたい!

現在出版されている桃太郎は、岐阜県図書館で読んだことになるよね。もっと昔の桃太郎の本を探そう。

　『桃太郎の運命』（鳥越信著、2004年、ミネルヴァ書房、P202）には、桃太郎ばなしの一覧がのっていて、1871（明治4）年から2003（平成15）年まで、出版年表になってわかりやすくまとめられていました。

　いちばんはじめに書かれているのは、1871年発行、福沢諭吉の『ひゞのをしへ』になっています。福沢諭吉がこの年には「桃太郎は盗人だ」と言っているのだから、これより古い「桃太郎」の本でなければいけないと思います。

『桃太郎の運命』

いちばん古い桃太郎を読みたい!!

❶1716～36年（江戸中期の享保年間）の赤本（藤田秀素著）

　いちばん古い桃太郎は、おじいさんとあばあさんが川から流れてきた桃を食べて若返り、おばあさんが妊娠して桃太郎を産んだという話だそうです。

参考● 『NHK歴史発見8』NHK取材班編、1993年、角川書店、P12 ●『昔話にはウラがある』ひろさちや著、1996年、新潮社、P225 ●『福沢諭吉と桃太郎』桑原三郎著、1996年、慶應義塾大学出版会、P12

　えーーーーっっっ!!　桃太郎はおばあさんから生まれるの!?　桃から生まれた桃太郎じゃないの???　しかも、桃を食べたおじいさんとおばあさんが若返ったなんて……。え!?　どういうこと?　頭がごっちゃごちゃ……。

　江戸時代以降の「桃太郎」は、どんな内容だったのか、とても気になってきました。そこで、また、袖ケ浦市立中央図書館へ相談に行くことにしました。

　江戸時代よりあとの桃太郎を読んでみたいとお願いしたところ、国立国会図書館のデジタルコレクションや、広島大学の教科書コレクションから検索して、たくさんの「桃太郎」をコピーしてくださいました。ありがとうございました。

桃太郎についてのくわしい本も探してくださり、滑川道夫さんの『桃太郎像の変容』という本があること、近くでは、千葉市にある千葉県立中央図書館にあることも教えてもらいました。しかし……。

ない！　ない！

どうしても、いちばん古い赤本『桃太郎』が見つからない……。国立国会図書館デジタルコレクションにもない……。

そこで、袖ケ浦市立中央図書館の司書さんに、どうしても赤本の『桃太郎』を読みたいとお願いしたところ、東京都立多摩図書館に復刻版の赤本『桃太郎』があると教えてくださいました。コピーしてもらって、さっそく読むぞ!!

ところが……。な、な、なんだ!?　このニョロニョロヘビ文字は……。

読めないよー!!

お母さんに赤本『桃太郎』読める？　と聞いたら、読めないって。せっかく本が見つかったのに……。するとお母さんが、「学芸員さんなら読めるかもしれないよ」と教えてくれたので、袖ケ浦市郷土博物館に行きました。

（2018年10月13日　袖ケ浦市郷土博物館にて
学芸員の桐村久美子さん、妹と）

　さすが学芸員さんです！　あのニョロニョロ文字をスラスラと読んでくれたのです。

　どうしたら読めるのかと質問したら、私でも読めるようにと、くずし文字の読みかたを教えてくださいました。家に帰って、解読にチャレンジしてみようっと。

　学芸員の桐村久美子さんに、桃太郎が、どうして鬼が島に行ったのかを確認してもらったのですが、くわしくは書いていなくて、唐突に言い出した感じがしました。桐村さんは、「力だめしに鬼が島に行ったんじゃないかなあ」とおっしゃっていました。

袖ケ浦市郷土博物館学芸員・桐村さん、ありがとうございました。

（2018年10月13日
袖ケ浦市郷土博物館にて）

❷1811年の燕石襍志（滝沢馬琴著）

> 夫婦これを食ふに、忽地わかやぎつかくて一夜に孕ことありて、男子を生めり。因て桃太郎と名づくといへり（中略）鬼島に赴きて寶を得ん爲なりと答ふ。

抜粋●『日本随筆大成二期第十巻』収録：滝沢馬琴著「燕石襍志」、日本随筆大成刊行会、P385より

> 桃太郎がなぜ鬼ヶ島へ行ったかというと、宝物が欲しかったからだと書いてあるのです。

引用●『福沢諭吉と桃太郎』桑原三郎著、1996年、慶應義塾大学出版会、P12より

滝沢馬琴……聞いたことが……あっ！「南総里見八犬伝」を書いた人だ。いま、学校の総合的な学習の時間で「南総里見八犬伝」を調べています。9月27日から二泊三日で行く自然体験学習では、伏姫と八房が住んでいたという富山の登山に挑戦します。がんばるぞー!!

八犬士が出てきて、里見家ののろいをとくところがおもしろいよ!!

滝沢馬琴の書いた桃太郎も、おじいさんとおばあさんが若返ってる！ それにおばあさんから桃太郎が生まれてる！あっ!!「宝ものが欲しかったから」って書いてある！ やっぱり福沢諭吉が言っていたとおり、桃太郎は宝ものを取るために鬼が島に行ったのかな？

　ここまでで、私が知っているお話とちがうところが2つありました。ちょっと整理してみようと思います。

昔と今ではお話のちがうところが2つある!

(1) 桃太郎の生まれかた

①おじいさんとおばあさんが桃を食べて若返り、おばあさんが桃太郎を産んだ。

②川から流れてきた桃から生まれた。

(2) 鬼が島へ行った理由

①悪い鬼を退治するため。

②鬼の宝が欲しくて取ろうとしたため。

この2つのちがうところを中心にして、昔の桃太郎を読んでみよう!

オー

「桃太郎の生まれかた」と「鬼が島へ行った理由」について調べよう!

❶袖ケ浦市立中央図書館でコピーしてもらった（→P39）国立国会図書館デジタルコレクションと、『桃太郎像の変容』（滑川道夫著、1981年、東京書籍）、広島大学図書館教科書コレクションなどから桃太郎を読む。

　江戸時代〜明治時代の桃太郎は、見たこともない漢字や何と書いてあるかわからない字もあって、とても難しい。お母さんにお願いして、一緒に読んでもらうことにした。

❷読んだ本から（1）桃太郎の生まれかたと（2）鬼が島へ行った理由について書き出して、感想を書く。

❸年表にして、わかりやすくまとめる。

❹わかったことや疑問に思ったことを出す。

年表（→P44〜45）も、がんばって書いたので、見てね!

昔の「桃太郎」を読んで、「桃太郎の生まれかた」と「鬼が島へ行った理由」の変化を年表にまとめてみました!!

出版年	題名／著者名	桃太郎の生まれかた	
江戸時代 （享保1716〜 1736年頃）	赤本「桃太郎」／ 藤田秀素	桃を食べたおじいさんとおばあさんが若返って妊娠をし、おばあさんが桃太郎を産んだ。	桃を食べて若返ったおばあさんから生まれる。
江戸時代 （1810年）	燕石襍志／ 滝沢馬琴	桃を食べたおじいさんとおばあさんがたちまち若返って一晩にして、おばあさんが妊娠して産んだ。	
1887年 （明治20年）	尋常小學校讀本一 （小學校教科書用図書1）	川上から流れてきた桃をおばあさんが拾って家に持ち帰ると、桃が2つにわれて桃太郎が生まれた。	川から流れてきた桃が2つにわれて生まれる。
1892年 （明治25年）	小學國文讀本巻之三／ 山縣悌三郎	川から流れてきた大きな桃を家に持ち帰って、包丁を当てると、中から桃が2つにわれて、桃太郎が生まれた	
1894年 （明治27年）	訂正　帝國讀本巻之四／ 学海指針社編輯	川上から流れてきた大きな桃をおばあさんが家に持ち帰り、手にとってわると、中から桃太郎が生まれ出た。	
1894年 （明治27年）	尋常小学読書教本巻四／ 今泉定介・須永和三郎	川上から流れてきた大きな桃を、おばあさんが家に持ち帰り、わると、中から桃太郎が生まれ出た。	
1896年 （明治29年）	日本昔噺第1編桃太郎／ 巌谷小波	川から流れてきた、大きな桃を、おばあさんが家に持ち帰って、わろうとすると、「お爺さん暫く待た！」と声がするとともに、桃が左右にわれて桃太郎が生まれた。	
1918年 （大正7年）	尋常小學國語讀本巻一 （ハナハト本）／ 文部省	川から流れてきた大きな桃をおばあさんが持ち帰り、桃を切ろうとすると、2つにわれて桃太郎が生まれた。	
1933年 （昭和8年）	小学国語読本巻一（サクラ読本）／ 文部省	川から流れてきた大きな桃をおばあさんが家に持ち帰り、桃を切ろうとすると、2つにわれて桃太郎が生まれた。	

現在

表は、『桃太郎像の変容』（滑川道夫著、1981年、東京書籍、P568〜588）と『桃太郎の運命』（鳥越信著、2004年、ミネルヴァ書房、P202〜215）を参考にまとめました。

鬼が島へ行った理由		よつばの感想
桃太郎は４才のときから力が強かった。桃太郎は、力だめしをするために鬼が島に行った。	宝を取りに行くために鬼が島へ行く。鬼が悪さをしたとは書いていない。	鬼は悪いことをしていなかった。桃太郎が力だめしをしてみたいと思って鬼が島に行った。桃太郎がきびだんごを作っているところがおもしろかった。
「鬼島に赴きて、寶を得ん爲なりと答ふ」		鬼が島に行って、宝ものを取りに行きたいと言っている!!　福沢諭吉はこのことを盗人と言っているのかな？
「私は、鬼がしまへ、たから物を取りに行きたい」		この桃太郎から、桃が２つにわれて、桃太郎が生まれている。鬼は悪いことをしていないのに、桃太郎にせめられて、かわいそう。しかも、宝ものを取りに行く理由で……。
「私は、おにがしまへ、おにたいちにゆきたい」		いちばん最後の文に「おにとはわるいもののことであります」と書いてありました。鬼は悪い！　と決めつけているように聞こえる。
「われは鬼が島へ宝物を取りに行くなり」		この桃太郎も「宝ものを取りに行く」というのが鬼が島へ行く理由になっている。この本も鬼が悪いとは書いていない。きっと鬼は悪者というイメージが強いんだね。
「此のころ、鬼ヶ島に、鬼どもあまたうちよりて、人をくるしめ、たから物をかすむるやうすゆる、之を征伐したし」	悪いことをしている鬼を退治しに行く。悪い鬼を退治するという理由がつけられる。	鬼退治に行く理由づけがされている!!　鬼が島の鬼どもが集団で人を苦しめたり宝ものを盗んだから征伐したとある！
「其鬼心邪にして、我皇神の皇化に從はず、却て此の蘆原の國に冠を爲し、蒼生を取り喰ひ寶物を奪ひ取る、世にも憎くき奴に御座りますれば、私只今より出陣致し」		鬼退治に行く理由がとてもくわしく書いてある!!　こんな悪い鬼だったら退治されてもしょうがないと思うな。でも、桃太郎は、宝ものを残らず奪い取って帰ると言っているので、宝ものも欲しいのかな？
犬にどこへ行くのかと聞かれると「オニガシマへオニセイバツニ」と答えた。		この本では、急に鬼が島へ鬼退治に行っているね。行く理由もなければ鬼の悪さも書いてなかった。さし絵の鬼がこわかった。
「ワタクシハ、オニガシマヘ、オニタイヂニイキマスカラ、キビダンゴヲコシラヘテクダサイ」		この本も鬼の悪さが書いてないのに鬼退治に行く。やっぱり、くわしく書かなくても鬼は悪者だとみんなわかってるってことだね。鬼は自分から宝ものを差し出しているね。

現在

45

まとめ

❶江戸時代の桃太郎は、桃を食べたおじいさんとおばあさんが若返って妊娠した。おばあさんが桃太郎を産んでいた。

❷明治時代以降の桃太郎は、川から流れてきた桃をおばあさんが家に持ち帰り、わろうとすると2つにわれて桃太郎が生まれた。私が知っている話と同じだった。

❸1896（明治29）年に出版された巌谷小波著の桃太郎より前は、宝が欲しいから、宝を取りに行きたいから鬼が島に行った。それに、鬼が悪さをしたとは書いていなかった。

❹巌谷小波著の桃太郎よりあとは悪い鬼を退治するという理由づけがあって、鬼退治をするために鬼が島に行った。

❺鬼から宝を受け取る場面では、江戸時代〜明治時代のはじめの桃太郎は、鬼から宝を奪い取ったり、ぶんどったりしているのがほとんどだった。

❻明治の終わり頃の桃太郎では、鬼は降参したあと、「これからは悪いことをしません。許して下さい」と言って、鬼が自分から宝を桃太郎に差し出していた。

今と昔では、お話の内容がずいぶんとちがうんだね！　①桃太郎の生まれかたや②鬼が島に行く理由は今と昔ではちがうね。③宝の受け取りかたもちがうことがわかったよ。時代によって何でちがうんだろう？　次は、この3つについてくわしく調べていこう!!　がんばるぞー!!

桃太郎はどっちから生まれたの?
―おばあさん? 桃?―

『桃太郎像の変容』(滑川道夫著、1981年、東京書籍) P5、6、29
に、桃太郎の誕生には2つの型があると書いてありました。

	回春型(若返り型)	果生型
生まれかた	おじいさんとおばあさんが桃の実を食べたら若返って桃太郎を産んだ	川を流れてきた桃の実から生まれた
時代	江戸時代~明治時代はじめ	明治時代~現代
対象の人	色気があることを楽しむ大人向けの話	教訓性がもられた子ども向けの話【教訓性=将来への生活指言という意味(新明解国語辞典第四版より)】
	昔話は大人たちのものであり、色気話であった	鬼退治や動物が登場するおもしろさから子どもに好かれた

○子どもに喜ばれる「鬼退治」の場面が中心になっていった。
○大人向けの色気話がうすれていき、回春型から果生型が多くなっていった。

　時代とともに桃太郎の誕生のしかたがかわっていったんだね。私が最初に読んだ桃太郎の本(→P28、29)でも果生型しかなかったな。江戸時代は大人向けで回春型だったけれど、現在は子ども向けで果生型だけの桃太郎になっているということがわかりました。桃太郎は、おばあさんと桃のどちらからも生まれたというのが正しいんだね。

桃太郎は宝を取るために鬼が島に行ったの？

桃太郎が宝を得るために、
鬼が島征伐におもむくという思想は、
江戸期の文献にみえている。

引用●『桃太郎像の変容』滑川道夫著、1981年、東京書籍、P544より

　たしかに、私が読んだ江戸時代～明治時代はじめの桃太郎も「宝を取りに行きたい！」というような理由で鬼が島に行っていました。

　1894（明治27）年に出版された巌谷小波著の『日本昔噺桃太郎』では、鬼が悪さを働いたから鬼が島へ行くという理由づけがされていました。この年に清（現在の中国）と戦争をはじめていて、軍国主義的な桃太郎が好まれたと考えられているそうです。

　このお話が主流になって、現在に通じる子どもむけの桃太郎童話や絵本に深い影響を与えたそうです。

参考●『桃太郎像の変容』P68 ●『福沢諭吉と桃太郎』桑原三郎著、1996年、慶應義塾大学出版会、P12～15

　宝を受け取る場面では、桃太郎が自分で探して奪いとったり、ぶんどったりするなど、私がイメージするやさしい桃太郎ではありませんでした。とてもショックです。そしてもっと衝撃を受けたのは、「桃太郎の歌」です。

文部省唱歌（1891年）

1、桃太郎さん　桃太郎さん、
お腰につけた　黍団子
一つ　わたしに　下さいな。

2、やりませう　やりませう、
これから　鬼の　征伐に、
ついて行くなら　やりませう。

3、行きませう　行きませう、
あなたについて　何処までも、
家来になって　行きませう。

4、そりや進め　そりや進め、
一度に攻めて　攻めやぶり、
つぶしてしまへ　鬼が島。

5、おもしろい　おもしろい、
のこらず鬼を　攻め伏せて、
分捕物を　えんやらや。

6、万々歳　万々歳、
お伴の犬や　猿　雉子は、
勇んで車を　えんやらや。

引用●『桃太郎像の変容』P111より

桃太郎の歌は1〜3番までは知っていたけど、4番、5番がこんなにひどいとは……。きっと無理やり宝を奪い取ってるんだ！　福沢諭吉が言っていたとおり、桃太郎は盗人だと思うようになってきた。

まとめ

❶「桃太郎の生まれかた」は、回春型と果生型の2つある。現在は桃が2つにわれて生まれたという果生型の桃太郎しかない。江戸時代〜明治時代のはじめは、桃を食べて若返ったおばあさんが妊娠して桃太郎を産んだという回春型がほとんどだった。

❷江戸時代から明治時代はじめの桃太郎は、鬼退治をする理由もなく、宝ものを取りに行くために鬼が島に行ったという物語だった。

❸1894年頃から鬼退治をする理由がつけ加えられるようになった。それ以前は、理由はなくても、鬼は悪い者だから退治されて当たり前だと思われていた。

❹現在は「宝ものをあげるからゆるしてくれ」というのが多いが、江戸時代〜明治時代のはじめは、ぶんどって奪い取ることになっている話が多い。

　1894（明治27）年発行の巌谷小波著の桃太郎では、鬼が自分の角を折って助けてくれと言っているのに、桃太郎は鬼の首を切って屋根の上に置くなど、残虐な桃太郎になっているものもある。

　福沢諭吉が「桃太郎は盗人」と言っていることにはじめはびっくりしたし、えらい人でも、まちがうことがあるんだなあと思っていました。でも、調べてみたら、その時代に合うようにだんだんお話がかわってきているんだね。

　だから今は、福沢諭吉が言ったことは正しいと思っています。

結論パート３

　福沢諭吉が『ひゞのをしへ』を発行した1871（明治４）年は宝を奪い取るために鬼が島に行くという桃太郎だったため、「桃太郎は、盗人ともいえる悪者」と言われてもしょうがない。桃太郎は盗人だった。

　鬼は悪さをしていないのに、宝を取りに来た桃太郎に鬼退治されて、鬼がかわいそうだと思っている人はいないみたい。桃太郎と鬼関係の本をたくさん読んだけど、鬼は悪者。退治されるべき者と一方的に決めつけられている気がするなぁ。

鬼は悪者だから、鬼退治されて当たり前だと
書いてある本があった!!

> 鬼はつねに退治され殺されて当然という悪の代表とされている。

引用●『鬼の伝説』邦光史郎著、1996年、集英社、P158より

> 征伐の理由をとりたてて語らなくても、「鬼」であるから当然退治されるのだということになったのだろう。

引用●『桃太郎像の変容』滑川道夫著、1981年、東京書籍、P43より

> 最近では「何もしていない鬼をいきなり攻めるのは可哀想だ。」などという人道的（?）な意見を聞くことがあるが、（中略）鬼とは邪悪なるもの、人に災いをもたらすものの象徴なのである。すなわち物語の中だけでは何もしていないように見えるが、鬼というだけで、すでに退治されるべき悪しき存在なのだ。

抜粋●『新・講談社の絵本 桃太郎』千葉幹夫文・構成・齋藤五百枝画、2001年、講談社、解説（武士田志）より

> ひ、ひ、ひどすぎる……。鬼は悪いことをしたと書いていないのに……。どうして鬼は悪者だと思われてしまうんだろう??

第四鬼

鬼はどうして悪者だと思われているのか？
〜鬼は何者？〜

（2018年8月25日　自宅にて）

鬼とは、
何者なのだろうか？

　「桃太郎」の本を読んでみると、鬼が悪いことをしたと書いていなくても、「鬼は悪い者である」と一方的に決めつけられていることがわかりました。

　私のイメージする鬼も、角があって、恐ろしい顔をしていて、人々をおそう……とにかく恐ろしい存在です。

　私が悪いことをしたり、言うことを聞かなかったりすると、きまってお母さんに「鬼に食べられるよ」と言われていたことを思い出しました。
私、こわくて泣いてたなぁ。

夜、全然寝つけなかったなぁ。

　でも、小学校の国語の授業で学習した鬼は、とてもやさしい鬼ばかりで、鬼の中には、やさしい鬼、よい鬼もいるんじゃないかなとも思っています。

　「鬼とは何者なのか」？

　図書館でたくさんの本を借りて読み、鬼について私なりに考えてみたいです。

「鬼の本」も資料編③読み比べリスト（→P115）にのせているよ。

じゃあ次は、鬼の語源や鬼の存在について調べていこう!

鬼の語源について調べてみた!!

❶「隠（オン）」

隠形の隠であり隠れた存在、姿の見えないのが本来の鬼である。

参考●『鬼の伝説』邦光史郎著、1996年、集英社、P16

❷「陰（オン）」

見えないものを意味する「陰」がなまったもの。

参考●『大人のための妖怪と鬼の昔ばなし』2014年、綜合図書、P12

> 漢字がちがうけれど「オン」が「オニ」になったというのは同じだね。それに、姿が見えないもの、目に見えないものが鬼ということだね。

　『鬼が出た』（大西廣文・梶山俊夫ほか絵、1989年、福音館書店、P8）では、鬼は人間の想像から生まれたもので、病気や貧乏、争いごとや、いやなものこわいものはみんな鬼だと書かれています。
　『大人のための妖怪と鬼の昔話』（綜合図書、P12）には、「災難や疫病など、よくないことが起こればその原因を鬼の所業と考えた」と書かれています。
　まとめると、鬼が人間に対して何かをしたのではなくて、人間にとって何か悪いことが起きると鬼のしわざだと思ってきたということだろうか。

鬼って、どんな姿をしているのだろう?

陰陽道の鬼門の鬼

鬼門とは、鬼が出入りする方角です。鬼は丑・寅から出入りするので、牛（丑）の角があり、虎（寅）皮のパンツをつけているそうです。

参考●『鬼学』松岡義和著、2008年、今人舎、P10、11

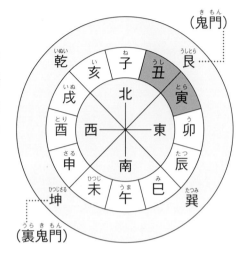

（鬼門）

（裏鬼門）

「赤鬼と青鬼のタンゴ」の歌をきいていたから、赤鬼の角は1本、青鬼の角は2本だと思ってたよー!!

日本最古の鬼「目一つの鬼」

「目一つの鬼」は、地上に現れた最古の鬼だそうです。

この鬼の正体は、鉄を溶かす時に目をつぶって炉を見守り、空気を送るために口をとがらせていたという姿から、鍛冶師だったのではと考えられているそうです。

参考●『鬼』高平鳴海ほか共著、1999年、新紀元社、P10〜12

鬼が鍛冶師?? 火をあやつっていた人のことを「鬼」とよんでいたの? 同じ人間なのに見た目で「鬼」と思っていたの? かわいそう。

地獄にいる鬼は、どんなことをしているのか？

　人間が死んだあと、この世で悪いことをしたら行くのが地獄です。鬼は閻魔大王の手下になって地獄に落とされた人間にいろいろなばつをあたえます。

参考●『鬼が出た』大西廣文・梶山俊夫ほか絵、1989年、福音館書店、P8〜11

　私が鬼を思いうかべるのは、この地獄の鬼です。人間を残酷な方法で苦しめているところは、本当にこわいです。

重要無形民俗文化財　鬼来迎を見に行ったよ！

> 鬼→ノがない鬼なんだね。ここでは、鬼来迎と書くよ。昔の漢字なのかな？

　鬼来迎は、千葉県山武郡横芝光町虫生の広済寺に伝わる、「地獄劇　鬼舞」ともよばれる、地獄を再現した劇です。

参考●『「鬼来迎」と房総の面』片山正和著、1980年、崙書房、P1、2

　鬼来迎は、全国で唯一の古典的地獄劇で、1975（昭和50）年に重要無形民俗文化財の指定を受けました。

大序　閻魔大王が亡者の罪を決める
地獄に落とされた人がたくさんの鬼に囲まれていて、こわそうだった。

（写真は全て2018年8月16日　広済寺にてよつばさつえい）

釜入れ　釜ゆでにするところ
生きているまま、ゆでられるなんて！　熱いだろうなぁ……。私だったら絶対にイヤだ!!　地獄には行きたくないと思うくらいこわい……。

かるたに鬼来迎があった!!

千葉県房総かるた

き

鬼来迎
今に伝わる
地獄劇

鬼来迎の取り札は
コレ!!

> めざせ! 県大会!
> 子ども会でかるたの練習を
> しているところです。9月
> の大会にむけて、夏休み中
> は、特訓をしていました。

　私たちは、2016年、2017年
と、2年連続で県大会に出場
しています。今年の目標は、
優勝!!　がんばるぞー!!

(2018年7月1日　今井青年館にて)

鬼の正体を見つけた!

読んだ本の中から、
鬼の正体をたくさん見つけた!!
4つの説を紹介するよ!!

オー

① 霊魂説

中国では「鬼」は死者のことで、「魂」を意味する。

鬼は（中略）恨みをのんで死んだ霊魂や生き霊

抜粋●『おもしろ鬼学』山嵜泰正著、2003年、北斗書房、P12、452より

「桃太郎」に出てくる鬼が何者なのか書いてある本があった!!

　鬼は供養されない怨霊で（中略）きびだんごはあの世に持っていく供物以外の何物でもありません。
　また「ももたろう」のなかで、都にあらわれてお姫さまをさらった鬼たちは、死者の国からこの世にもどってきた怨霊であると言ってもよいでしょう。

引用●『昔話とこころの自立』松居友著、1999年、洋泉社、P226、227より

松居友さんは、西は死者の霊のむかう方角で、鬼が島は西の海の彼方にあることから、鬼は怨霊だったと考えたそうです。鬼は、どんなうらみをもって死んでいったのだろう。よっぽどつらいことがあったんだろうなぁ。桃太郎をうらんでる?

な、な、なんと!!
松居友さんが、袖ケ浦市立中央図書館に来た〜!!

松居友さんは、『ももたろう』の著者で有名な松居直さんの息子さんです。福武書店（ベネッセ）の児童図書の初代編集長で、現在は、フィリピンの「ミンダナオ子ども図書館」を設立し、運営しているそうです（講座資料と司会者紹介より）。

2018年6月24日に松居友さんの講座に行ってきました！　ドキドキしたけど、質問してきました。

「松居友さんにとって、鬼とは何だと思いますか?」

（2018年6月24日　袖ケ浦市立中央図書館にて）

「鬼は、見えないけれど、存在しているんだよ。みんなの心の中に鬼がいる。
　お母さんが怒っている時、『鬼ババ』って思わない?　これは、あなたのことを愛しているから鬼になるの。
　愛は永遠で、死をもこえるんだよ。愛がなければ無に等しいと思うんです。だから、私は、鬼とは、愛なんじゃないかと思います」

60

愛かぁ……。愛しているから鬼になるんだ。鬼ババお母さんも、私のことを大切に思っているんだね。それにしても、お母さんは超こわい。

❷ 海賊説

　桃太郎発祥の地は、桃太郎神社のある、愛知県犬山市も有名ですが、いちばん有力だと言われているのが、岡山県吉備地方の鬼退治伝説です。

瀬戸内海が広がっているので、たくさんの船が行き交っていたと考えられています。鬼ノ城から、海をわたって、色々なところに行けるね！

61

吉備津神社には鬼退治の伝説があり、鬼たちが船をおそって積み荷を奪ったり、女や子どもを略奪するなどの海賊行為をおこなっていたといわれています。

　そこで、吉備津彦命が鬼ノ城に隠れていた鬼を退治したそうです。地図（→P61）を見ると、鬼ノ城は島ではないんだね。でも、そこに鬼たちが住んでいたとすると、船をつかって、色々なところに行っていたんだね。

　鬼たちが海上を行き交う船をおそっていたことを考えると、鬼の正体は海賊だったのではないかという説が出てきたそうです。

　『訪れる神々』の本では、危害、略奪を加えるためにやってきた〝「山賊・海賊」の類〟、とありました。

参考●『鬼が嗤った！』有賀訓著、2007年、KKベストセラーズ、P152〜180 ●『NHK歴史発見8』1993年、角川書店、P14〜20 ●『訪れる神々』諏訪春雄・川村湊編、1997年、雄山閣出版、P39

　海の上で宝を奪ったり人を傷つけたりしていたことを考えると、鬼は海賊というのも納得。桃太郎は、吉備津彦命という実在の人物のモデルがいたんだね。ビックリ!!

❸人間説

　恐ろしい顔と大きな体、それに、人間にとってよくないことばかりをする鬼が人間!?　人間が鬼だなんて信じたくないし、考えるのもこわいです。

　そういえば講演会で松居友さんからお母さんのことを「鬼ババと思う時があるでしょ？」と聞かれた時、「お母さんは、いつも

24時間鬼ババだ」と心の中で思ったことを思い出しちゃった。

　鬼が出てくる本をたくさん読んだけど、「くわずにょうぼう」「さんまいのおふだ」は鬼が人間に化ける物語だよね。

　あっ!!　あの有名な「酒呑童子」は、もともとは人間だったはず!!

　『妖怪ぞろぞろ俳句の本　下　鬼神・超人』（古舘綾子文・山口マオ絵、2013年、童心社）には、２つの出身説があると書いてありました。

●越後（新潟県）説

　酒呑童子は少年時代から美男子で、毎日たくさんの女性からラブレターが届いていたそうです。恋わずらいで亡くなった女性からもらったラブレターを燃やすと無念のうらみのせいか鬼になったそうです。

●伊吹山（滋賀県）説

　比叡山に修行に入った酒呑童子は大酒のみできらわれていたそうです。お祭り用の鬼の面をつけたら、とれなくなって、そのまま鬼にかわったそうです。

参考●『妖怪ぞろぞろ俳句の本　下　鬼神・超人』P10、11

　同じ酒呑童子の話なのに、出身説がちがうなんてびっくり!!

　どうして人間が鬼になったのかについてもっとくわしく調べたいな。

人間説について、
もっとくわしく調べたい！

　京都府福知山市大江町にある日本の
鬼の交流博物館に行ってきました!!

　大江町の大江山には、3つの鬼伝説
があります。その中の1つが酒呑童子
です。

館長さんにお話を聞きました!!

　よつば●私は桃太
郎のお話から、ど
うして鬼は悪者だ
と思われてしまう
のか、鬼は何者な
のかを調べています。「鬼は人間である」と
いうことについて教えてください。

　館長●桃太郎についてたくさん調べたね。あのお話は、「鬼は一
方的に悪い」と決めつけているお話です。そして、大体のお話は、
鬼と宝ものはセットになって考えられているんですね。悲しいけ
れど、「鬼は悪者」だと思われてしまっているのは事実なんです
ね。「鬼は何者なのか？」という質問はとても
難しいね。答えは1つじゃないからね。

　鬼の概念は、時代の流れと共にかわってきま
した。

（2018年7月22日　日本の鬼の交流博物館にて）

館長さんに教えてもらったことをまとめました。

○鬼（おに）……朝廷の言うことを聞かないで、逆らっていた人や国家にしたがわない人を恐れて「鬼」と言っていたそうです。

○鬼魅（おに）……外国人のこと
朝鮮半島の渡来人は、製鉄技術をもっていました。製鉄で、目を痛めたり、熱で髪の毛がチリヂリになっているのを恐ろしいと思ったのかもしれません。肌があれたり、赤くなっている人たちを見て、「赤鬼」と言われたそうです。

○鬼（もの）……病気そのもの
平安時代には、伝染病や病気が流行し、人々がこわがって、恐れていたそうです。

「もののけ」の「もの」は鬼（もの）からきているそうです。

疱瘡（天然痘）という病気のことを鬼（もの）と言っていたそうです。

館長●つまり、人は、得体の知れないもの、理解できないものを「鬼」とすることで、心を安定させていたのですね。

よつば●『訪れる神々』（諏訪春雄・川村湊編、1997年、雄山閣出版、P39）でも、〝言葉がつながらなかったり、自分と外見がちがったりすることで不安や恐怖心を持って異人を排除した〟とありました。

自分たちとちがう考えをもっていたり、体や顔のつくりがちがうと、「変だ」「おかしい」「こわい」と思ってしまうんだね。でも、私も同じように思ってしまうかも。

いろんなものを鬼と言っていたんだね。

65

人間が鬼になった「酒呑童子」について聞いてみた

よつば●酒呑童子が鬼になってしまった理由が２つあることを知りました。くわしく教えてください。

館長さんによると……

「酒呑童子」という名前に「童子」という言葉がついてます。これは、子どもという意味だそうです。前髪だけでなく、まわりの髪の毛もきれいに切りそろえられていて、私の妹の髪型にそっくり！

私の妹（2018年8月26日
自宅にて）

○酒呑童子は、仮面ライダーと同じで、鬼に変身する。人間が何かに変身する話では、日本でいちばん古いかもしれないそうです。

○ふだんは、人間として町に出かけるが、お酒をのんで、よっぱらってしまうと、鬼になってしまう。

○酒呑童子が、どうして鬼になってしまったのかは、私が調べた通り２つの説（→P63）があるが、共通点もある。

  • 酒が好きで、らんぼうをはたらいたり、美男子で人をまどわしたりして、人間の世界から出て鬼になったこと。
  • 大江山に住みついてしまうこと。

館長●都会の人にとっては、酒呑童子が悪者だったけれど、酒呑童子から見ると、自分が住んでいた土地を奪った武将や陰陽師たち、朝廷そのものが悪人だと感じたのかもしれないですね。

よつば●桃太郎の話も
同じですね。
○桃太郎から見れば、
　宝を取るために悪者
　だと思っている鬼を
　退治しに行く。
○鬼から見れば、何も

「酒呑童子」と聞くと、「ザ・悪」と
いう感じがして、すごくこわくて、
恐ろしいです。まさか、酒呑童子の
側に立って考えてみるなんて思って
もなかったです。はっっっ!!　桃太
郎と同じだ!!

悪いことをしていないのに桃太郎が侵略して

きて、宝を奪われてしまう。どちらが本当なのでしょうか？

館長●ある人には善でも、ある人には悪そのものであるかもしれ
ない。だから鬼は悪い者とは言いきれないのです。鬼は善悪をこ
えた存在です。

よつば●ありがとうございました。とても勉強になりました。最
後に、館長さんにとって鬼とは何だと思いますか？

館長●「鬼は人間のうら返し」であり、「鬼は、神と表裏一体」
であると思います。

　館長さんからお話を聞いて、人間にとって悪
いことやこわいものを、全部鬼のせいにしてき
たということがわかりました。昔の人は、差別
をしたり、自分たちとちがうと攻撃したり、ひどいと思います。

　館長さんは、最後に、「鬼は神」という、びっくりなことを言っ
ていましたが、どういうことなんだろう？？？

　表裏一体とは、鬼と神が表と裏で1つになっていることだよね。
鬼は、「悪」ではなく、「善」という存在の神ってこと？

　じゃあ、次は、鬼は神なのかについて調べていこう！

❹ 神説

　鬼の姿をしているけれど、本当は日本の町や村、山や里のどこにでもいる、その土地土地の神様がいるそうです。角があって、目がギョロッとしていてこわい顔をしている鬼が神様だなんて、ちょっと信じられません。

　『鬼が出た』（大西廣文・梶山俊夫ほか絵、1989年、福音館書店、P36、37）には、愛知県の花まつりの榊鬼と、8月16日に見に行った千葉県の鬼来迎（→P57）の奪衣婆が神としてのっていました。

　鬼のノがないよ！ 「かみ」と読むそうです。

千葉県米

『大人のための妖怪と鬼の昔ばなし』（綜合図書、P13、14）には、「鬼のツノ（一画目の「ノ」）が取れて、神になったことを示す」と書いてありました。鬼という字は、昔の漢字ではなくて、「ツノ」を取って鬼（かみ）と読む漢字でした。

鬼来迎の「虫封じ」
（千葉県山武郡横芝光町虫生）

　奪衣婆に赤ちゃんを抱いてもらうと、健康に育つという言い伝えがあるそうです。

　今年（2018年）は20人の赤ちゃんを抱っこしていましたが、横芝光町虫生の赤ちゃんは一人もいないと言っていました。

赤ちゃんがかわいそう……。
（広済寺にて　よつばさつえい）

　泣いていない赤ちゃんがいた時、「ウォー」と声を出したり、おどろかせたりして、わざと泣かせようとしていました。

　奪衣婆を見て泣くと「疳の虫」がおさまるそうです。

鬼鎮神社（埼玉県嵐山町）

『鬼学』（松岡義和著、2008年、今人舎、P9、31）には、青森県弘前市鬼沢と埼玉県嵐山町に、鬼鎮神社があると書いてありました。そこで、いとこがいる埼玉県の鬼鎮神社に行ってきました。「鬼の金棒」がたくさん奉納されていて、「勝利の神様」として有名だそうです。

鬼が守護神

（2018年7月16日　鬼鎮神社にて　妹、いとこと）

金棒を持ってみた。お、お、重い……。

ここの地区の人たちは節分で「福はうち、鬼はうち、悪魔そと」って言うんだよ。

「鬼」という名前の人がいる!?

　2018年10月4日にNHKで放送されたネーミングバラエティー「日本人のおなまえっ！」を見ていたら、「鬼」という名字の人がいたあっ!!!　びっくり！

　どうして「鬼」という名前になったのかと鬼さんに聞くと、豊臣秀吉から「おまえは鬼のように強いから、鬼という名字をつけろ」と言われたそうです。そこで、佛教大学歴史学部教授の八木透先生が出てこられて、「鬼は必ずしも悪ではない。神のような、人があがめる対象だった」と言っていました。鬼は悪ではなく、「鬼（かみ）」として存在していることに、びっくりです。はじめ、鬼は神だなんて信じられなかったけど、今は、本当だと思います。

なまはげ（秋田県男鹿半島）を見に行ったよ！

　秋田県の男鹿市でおこなわれている「なまはげ」は、なまけ者をこらしめて歩く行事です。もとは、季節の変わり目をつげる神だったそうです。

参考●『目で見る日本の歴史5　うけつがれる祭りと行事』
中野重人ほか指導、1988年、学習研究社、P62、63

戸をいきなり開けると、「ウォー」という大きくて恐ろしい声。足をドンドンと足ぶみしたり戸やかべをたたいて大きな音を出して、すごくこわかった……。

12月31日の大みそかの夜に、なまはげ（赤鬼・青鬼）が家々を訪れます。「泣く子はいねえが」と大声をあげ、よい子でいるようにと訓戒をたれるそうです。

参考●『鬼学』松岡義和著、2008年、今人舎、P9

　言うことを聞かない子どもや、仕事をしないなまけ者のことをなまはげ台帳を見て怒っていました。すごくこわかったです。なまはげ台帳にはその家のいろいろなことが書いてあるらしく、何でもお見通しみたい……。私のイタズラもなまはげにバレてるかも!?

言うごと聞かね子どらいねが。ナマハゲ台帳見てみるが。テレビばり見で、何も勉強さねし、手伝いもさねて書いであるど。

なまはげが落としたわらを頭にまくと、1年間よい年になるんだそうです。

　なまはげは、なまけ心を戒め、無病息災・田畑の実り・山の幸・海の幸をもたらす来訪神なんだそうです。包丁を持った姿も、声も、動作も、すごくこわいけど、みんなの心を正そうとおどかしているんだね。なまはげのおかげで、男鹿市の人たちは健康で幸せに暮らしていることがわかったよ!!

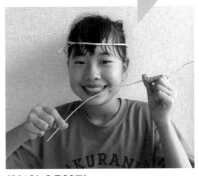

（2018年8月26日）

まとめ

　本を読んだり日本の鬼の交流博物館を見学して館長さんからお聞きしたりしたことをまとめて、「鬼はどうして悪者だと思われてしまうのか」についてまとめてみます。

　得体の知れないもの・理解できないものを「鬼」とすることで、人は、心を安定させていた。時代の流れと共に鬼の正体はかわってきた。

❶「オン」という語源から、鬼は、「目に見えないもの」である。

❷頭に角があり、トラの毛皮のパンツをはいているという鬼の姿は、陰陽道の考えからきている。

❸地獄の鬼で、閻魔大王の手下になって、人間にばつをあたえる。

❹人間の魂・死者の魂

❺海賊や外国人、国家の命令にしたがわない反逆者

❻感染症などの病気

❼地域の人々を守り続けてきた神

人は、人間にとって悪いもの・存在を全部鬼のせいにしてきました。悪かろうが悪くなかろうが、鬼は悪者であり、退治されて当たり前だと一方的に決めつけられてしまいました。時代がかわっても悪の正体を「鬼のしわざ」だと考えて、現在まで伝わってきたのです。

　日本の鬼の交流博物館入り口に下の写真のパネルがはってありました。

　「鬼は何者なのか？」

　私が思いうかべるやさしい鬼について、調べて答えを出そうと思います。

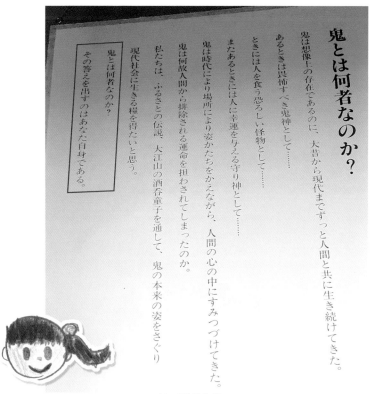

鬼とは何者なのか？

鬼は想像上の存在であるのに、大昔から現代までずっと人間と共に生き続けてきた。

あるときは畏怖すべき鬼神として……

ときには人を食う恐ろしい怪物として……

またあるときには人に幸運を与える守り神として……

鬼は時代により場所により姿かたちをかえながら、人間の心の中にすみつづけてきた。

鬼は何故人間から排除される運命を担わされてしまったのか。

私たちは、ふるさとの伝説、大江山の酒呑童子を通して、鬼の本来の姿をさぐり現代社会に生きる糧を得たいと思う。

鬼とは何者なのか？
その答えを出すのはあなた自身である。

（2018年7月22日　日本の鬼の交流博物館にて）

第**五**鬼
現在の鬼像
～「泣いた赤鬼」から～

平成30年度 教科書の 泣いた赤おに

鬼の数えかた、知ってる?

　昔話などに登場する鬼は、村を荒らしたり、人間にケガをさせたりする悪い存在なので「匹」で数えるそうです。でも、人間と仲がよく近い存在の場合は、鬼でも「人」で数えることができるんだって。「泣いた赤鬼」に出てくる鬼たちは「人」で数えていいよね??

参考●『モノの数え方えほん』町田健監修・ふわこういちろうイラスト、2015年、日本図書センター、P24、25

（2018年8月12日　浜田広介記念館にて）

私がイメージする鬼像
「やさしい鬼」とは？

　私は小学校の国語や道徳の授業で鬼が出るお話を学習しました。『おにたのぼうし』『泣いた赤鬼』など本当にやさしい鬼ばかりです。だからかもしれませんが、鬼を想像する時はこわい鬼だけでなくやさしい鬼も思いうかべてしまいます。

山形県高畠町にある浜田広介記念館「ひろすけ子ども祭」に遊びに行ってきました。

「ますとおじいさん」はちょっと悲しいお話なんだなあ……。

　「ますとおじいさん」のお話の像に座っていたら、急に一人のおじいさんが、「ますとおじいさんのお話知ってる？」と声をかけてきました。なんと!! そのかたは、浜田広介記念館の理事長・鈴木征治さんだったのです。理事長さんは、「ますとおじいさん」のあらすじや、広介童話について教えてくださいました。

理事長さんは、「広介童話では、悪い人が一人も出てこない。誰も傷つかないお話ばかりなんだよ」と言っていました。

　たしかに、『ますとおじいさん』も、『りゅうの目のなみだ』も、『泣いた赤鬼』もみんなみんなやさしい登場人物ばかりです。自分のことよりも、友達や家族、村の人びとのことを思いやる心や願いがこめられているそうです。

　浜田広介は、どうしてやさしい鬼が出てくるお話を書こうと思ったのか知りたくなりました。

浜田広介は、どうして
やさしい鬼の物語を書いたの？

　広介童話のことを山形にいる私のおばあちゃんに話したら、おばあちゃんの友だちが浜田広介記念館の前館長・樋口隆さん（『「ドコマデモ」考―童話「泣いた赤おに」成立論―』［不忘出版］の著者）の妹さんと友達なんだと言っていました。そこで、おばあちゃんにお願いして、インタビューさせていただくことになりました。うわあー!!　すごい！　キセキ!!

よつば●樋口さんの『「ドコマデモ」考』の、182ページに、「新しい鬼のイメージを造形し、創作童話の中に生かそうとしたのはまぎれもなく広介の発見であり、独創であった」と書いてありました。どういうことですか？

樋口●『泣いた赤鬼』（当時は『おにのさうだん』）は、1933（昭和8）年に発表された

樋口隆さん
2017年まで浜田広介記念館の館長さんでした。浜田広介記念館近くにお住まいだそうです。

んですね。その時の鬼のイメージっていうのは、人をだましたり、食べたりする悪い者だったんですよね。昔話では、やさしい鬼がでてくるお話もありました。

でも「鬼は悪い者」と思われている1933（昭和8）年頃はね、やさしい鬼が出てくるお話（創作童話）はなかったんですよね。ぼくが知る限り、やさしい鬼の物語を書いたのは広介がはじめてだと思うんです。これは勇気のいることだったかもしれませんね。

広介は、「桃太郎」も書いています。浜田広介記念館に置いてありますから、読んでみてください。広介の書いた「桃太郎」には悪い鬼は出てきませんよ。

『父　浜田広介の生涯』（浜田留美著、1983年、筑摩書房）P104に、浜田広介がどうして『泣いた赤鬼』を書いたのかが書かれていました。

「『鬼』はとかく、不利な立場にまはされて損な役目を負つてきました。（中略）鬼そのものにつきまとふ運命、すなはち、急には、断ち切りがたいきづなを鬼にのこしたのです。」

泣いた赤鬼のモデルになった金剛峯寺に収蔵されている運慶作の恵喜童子。この赤鬼は「知恵をめぐらし、その知恵を人に与えて喜びとする童子」で、そこに浜田広介は心ひかれたそうです。

浜田広介が書いた「桃太郎」を読んでみたい!!

　夏休みに、おじいちゃん、おばあちゃんのいる山形県に行った時に、浜田広介記念館に行ってきました。

　館長の島津正道さんは、浜田広介が書いた桃太郎を用意してくださっていました。題名は『ももたろうの足のあと』です。鬼退治に行こうとしている桃太郎一行の足あとを波が消したという内容でした。樋口さんが言っていたとおり、悪い鬼は出てきませんでした。

浜田広介全集 掲載作品リストより

館長●大正時代には、創作童話が生まれ、よいお話を子どもたちに読ませたいという時代でした。浜田広介は、鬼は悪者できらわれ者というイメージをやさしい者、利口な者ととらえたんですね。

（浜田広介記念館にて）

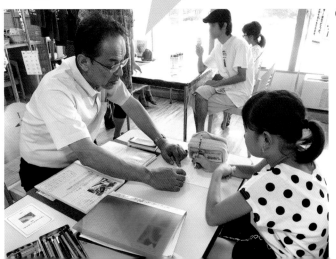

第五鬼で時代と共に鬼が何者なのかがかわってきていることを調べました。そういう流れの中で、浜田広介は、人間とかわらないやさしい鬼が出てくる『泣いた赤鬼』を書いたんだね。広介記念館で「教科書の泣いた赤鬼展」をやっていましたが、私たちは国語や道徳の授業で赤鬼や青鬼の気持ちを考えたり手紙を書いたりしました。もしかしたら、そういう学習を通して、やさしい鬼もいると思うのかもしれません。

　私も赤鬼や青鬼のように、自分のことよりも友だち、家族のことを思いやって、やさしい心をもって誰とでも仲良くなれる人になりたいです。次の第六鬼で、自分が考えた、鬼の正体をまとめていきます。

第六鬼

まとめと感想

（2018年7月22日　日本の鬼の交流博物館にて
妹と）

（2018年7月22日　大江山鬼嶽稲荷神社前にて
妹と）

まとめ

　私は、桃太郎の話から、鬼の正体まで調べてきました。今まで調べてきたことをまとめます。

① 江戸時代から1892（明治25）年頃までは、桃太郎は宝ものを取りに行くために鬼が島に行った。つまり桃太郎は盗人であると言える。

② 1894（明治27）年頃から現在までの桃太郎のお話は、鬼退治をする理由がつけられている。だから、悪い鬼を退治した桃太郎は、正義の味方だと言える。

③ 「桃太郎」の話の内容は、時代と共に少しずつかわってきている。若返ったおばあさんから生まれた回春型と、桃から生まれた果生型があり、現在は果生型の本がほとんどである。

④ 鬼は、一方的に悪い者だと思われている。鬼の正体は時代とともに変化しているが、目に見えないものだったり病気や反逆者だったりと、人間にとって悪いことやこわいものを全部鬼のせいにしてきた。

⑤ 鬼のツノをとって鬼（かみ）と読む。鬼は神として人々を見守っている存在でもある。

⑥ 日本ではじめてやさしい鬼が出てくる創作童話は、浜田広介が書いた『泣いた赤鬼』である。国語や道徳の教科書にやさしい鬼がたくさん出てきて、やさしい鬼もいるんじゃないかと考える人が多くなったのではと想像する。

自分なりの「鬼は何者なのか?」の答えを出そうと思います。

> 私は、鬼は一人ひとりの心の中にいて、その鬼がたまに出てくるけど、その鬼がいないと、一人ひとりの心は成長しないと思う。その鬼がいるからみんなは成長する。

おにたん

鬼が自分の心に出てくることは悪いことではなく、自分を成長させてくれるあかしなんだと思うようになりました。

自分の心の中に鬼が出ることで、やる気を出したり、がんばろうとしたりする感情がたくさんあふれでてくるんじゃないかなぁと思うのです。

この調べ学習で、時代の流れによって、桃太郎の話がかわったり、鬼の正体がかわったりすることがわかりました。昔も今も、「桃太郎」は私たちにいちばん身近な昔話なんだなと思いました。

2020年には東京オリンピックが開かれ、外国からたくさんの人が日本に来ると思います。また、いろいろな考えをもった人と出会うと思います。そんな時、自分と考えや、体のつくりや肌の色がちがっているからと、排除したり、差別したりしない人間になりたいと思います。人を外見で判断したり、考えをおかしいと批判したりするのではなく、同じ人間なのだから仲良くしていけたらな、と思います。

私が『泣いた赤鬼』の青鬼だったら、悪い鬼の役なんてしないで、人間たちに、やさしい鬼だということを伝えたい。人間たちが喜ぶことをして、認めてもらい、村の人、そして大親友の赤鬼と一緒に楽しく暮らしていけると思うのです。

調べ学習を終えての感想

　私の調べ学習は『空からのぞいた桃太郎』という１冊の本からはじまりました。昔の本が多く、何が書いてあるのか、どういう意味なのかがわからず、お母さんに手伝ってもらうこともありました。お母さんに「難しいから、今回も親子でやろうよ」と言われましたが、私は、どうしても一人でやってみたかった……。福沢諭吉が「桃太郎は盗人」と言った訳を、自分で読み解きたいと思ったからです。絵本を読んで「？」が生まれて、調べてみたいと思う気持ちもはじめてでした。あのえらい福沢諭吉がまちがえたんだろうと思うほど、桃太郎を正義の味方だと思っていたし、鬼は悪者だと思っていました。

　今回調べ学習をして、図書館司書さんって、すごい！　と思いました。特に、袖ケ浦市立中央図書館の司書さんは、私が探している本をいろいろなところから見つけてくださったり、他の図書館から取り寄せてくださいました。福沢諭吉の『ひゞのをしへ』には、現代語訳の『童蒙おしえ草　ひびのおしえ　現代語訳』や、解説本があることを教えてくださいました。

　わからないことがあるとすぐ、「スマホで調べて！」と言ってしまう私だけど、今回の調べ学習では、「わからないことがあったら図書館へ行こう！」「図書館の司書さんに聞いてみよう！」と思ってしまうほどでした。学校の司書さんもふくめ、この調べ学習は、司書さんがいなければ、できなかったと思います。お世話

になった司書さん、ありがとうございました。

　はじめて一人で取りくんだ調べ学習で、「できたぁー！」という達成感があります。そして親指と中指にも「できたぁー！」それはペンだこです。がんばったあかしのペンだこ……。これを見るたびに桃太郎と鬼を思い出すと思います。

　最後に、この調べ学習に協力してくださったみなさん、ありがとうございました。

お世話になったかた

○岐阜県図書館の司書のみなさん
○袖ケ浦市立奈良輪小学校　学校司書の西嶋雅子先生
○袖ケ浦市立蔵波小学校　学校司書の佐々木悦子先生
○袖ケ浦市立中央図書館の司書のみなさん
○木更津市立中郷小学校　吉村久美子先生
○袖ケ浦市郷土博物館学芸員　桐村久美子さん
○日本の鬼の交流博物館（京都府福知山市）館長　塩見行雄さん
○浜田広介記念館（山形県高畠町）館長　島津正道さん
○浜田広介記念館理事長　鈴木征治さん
○埼玉県嵐山町　鬼鎮神社のかた
○樋口隆さん（『「ドコマデモ」考―童話「泣いた赤おに」成立論―』著者）
○おとなりのおじいちゃん　田中宗之助さん

ありがとうございました!!

85

資料編①
「桃太郎」の読み比べ

凡例
❶書名　**❷著者**　**❸出版社**　**❹出版年**

ここで紹介している書籍は、
現在品切れで販売されていないものもあります。
品切れなどさまざまな理由で、表紙画像を掲載していないものもあります。

『空からのぞいた桃太郎』（岩崎書店）の
桃太郎を見本に書きました―よつば

調べ学習のきっかけになった本

❶空からのぞいた桃太郎
❷影山徹著
❸岩崎書店　❹2017年

ちがうところ　この本の鬼は、桃太郎が鬼が島に行くまで、1回も出てこない。この本は、ドローンで上からさつえいしているみたいだ。絵を見ると（P24〜25）、鬼たちは、まるで人間のように暮らしていた。また絵を見ると（P14〜15、P30〜31）、桃太郎が鬼退治に行った時は、春。帰ってきた時は秋。鬼が島が遠いことがわかる。

読んだ感想　この本の鬼は、悪いことをした、とは書いていない。なのに桃太郎は急に「鬼たいじにいってきます」と言い出したのだ。本の帯に、「鬼だから殺してもいい？」と書かれている。鬼は、色々なお話に出てくる。その鬼は、だいたい悪い鬼だ。でもこの鬼は、何も悪くない。なのに、退治に行っている。人間で例えると、何の罪もない人を殺しているということになる。この本は、まるで桃太郎が鬼みたいだ。

❶ももの子たろう（むかしむかし絵本）
❷大川悦生文・箕田源二郎絵
❸ポプラ社　❹1967年

ちがうところ　題名は、『桃太郎』ではなくて、『ももの子たろう』になっている。10才になると、おじいさんのかわりに山へ行き、仕事をしていた。

とんびに、「おにたいじにいけっちゃ」と言われ、鬼が島に行った。鬼は、ゆるしてくれたお礼に宝ものをじゃんとたくさん出してきた。

読んだ感想 この鬼は、女や子どもをさらったり、田んぼや畑を荒らしたり、悪い病気をはやらせる悪い鬼だ。この本は、ちょっと方言みたいな言葉が入ってて、山形のおばあちゃんみたいな言いかただった。桃が流れてくる時、「どんぶらこ、どんぶらこ」ではなく、「つんぶらつんぶら」と流れてくるところがおもしろかった。

●筑摩全集類聚　芥川龍之介全集３（桃太郎）
❷芥川龍之介著
❸筑摩書房　❹1971年

ちがうところ ☆桃の枝は雲の上にまで広がり、根は、大地の底にまで深く、１万年に１度実をつけるという。☆その桃の実を１羽の鳥がついばんで落としたので、谷川へ落ち流れていった。☆おじいさんとおばあさんのように仕事に出るのがいやだったから鬼征伐に行くことにした。☆おじいさん、おばあさんは桃太郎に愛想をつかし、早く追いだしたいと思っている。☆犬、さる、きじを、きびだんごをえじきに家来にした。☆犬はさるをばかにし、さるはきじをばかにする。きじは犬をばかにして仲が悪かった。☆鬼が島は、絶海の孤島であり、天然の楽土であった。☆鬼は平和を愛していた。☆鬼は、安穏に暮らし、人間と同じように暮らしていた。☆「悪戯をすると、人間の島へやつてしまふよ。（中略）酒顛童子のやうに、きつと殺されてしまふのだからね。（中略）［人間は］毛だものなのだよ」と鬼のお母さんは、子どもに言い聞かせる。☆桃太郎はにげまわる鬼を追いまわし、「一匹も残らず殺してしまえ！」と言う。☆宝ものだけでなく、鬼の子どもを人質にもらっていく。☆人質の鬼の子どもは一人前になると鬼が島へにげだした。☆鬼が島で生き残った鬼たちは、桃太郎たちに復讐に行く。☆５、６人の鬼の若者が、ヤシの実にばくだんを仕込んでいた。

読んだ感想 読み終わったあと、「鬼はかわいそう……」と思った。桃太郎は本当にサイテーな人だった。犬、さる、きじも、いつもけんかばかりして、仲が悪く、よく協力できたなと不思議に思う。鬼たちは、私が知っているお話とちがって、人間みたいな鬼だった。何も悪さをしていない。むしろ、人間をこわがっている。私が小さい頃、悪いことをすると、よくお母さんに「鬼に食べられるぞ」と言われたことを思い出した。なぜ、桃太郎は急に、鬼征伐に行くことにしたのだろう。鬼は桃太郎一家には、何もしていない。それに、村にも何も被害を与えていない。なぜ？　そりゃあ鬼たちも復讐に来るよねって私は思った。だって何もしていないのに殺されている。かわいそう……。この本の鬼は、平和を愛し、みんなで仲良く暮らしていた。そこに、急に桃太郎がやってきた。福沢諭吉が言っていた「桃太郎盗人論」は成立してくる。

❶日本童話宝玉選　改訂版
❷佐藤春夫監修
❸小学館　❹1975年

（出典：国立国会図書館）

ちがうところ 「桃太郎は十五になりました」という文がある。私の知っている話には、そのような文は出てこない。

読んだ感想 この桃太郎は、とてもいい子で、おばあさんとおじいさんのお手伝いをしている。だが、鬼どもは海を渡ってきて人のものを取ったり、人を食べたりして、あばれまわっていた。

そこに、犬、さる、きじ、桃太郎が鬼退治に行き、鬼をたおし、宝ものを取りかえす、そのところは、私が知っている話と同じだ。色々な本があるが、この本がいちばん読みやすかった。

❶岡山県の民話（桃太郎）

❷日本児童文学者協会編

❸偕成社　❹1978年

ちがうところ　桃は2つ流れてきたが、1つは、おばあさんが食べてしまう。友だちに、「山へ木をきりに行きましょうや」とさそわれても、桃太郎は都合が悪いと言って行かない。行ったら行ったで、昼寝ばかりしている。川に大木をなげた音を聞いた殿様に「おにたいじにいけ」と言われる。きびだんごを半分しかやらない。

読んだ感想　この本には、鬼が悪いことをした、とは書いていない。「おにの宝ものは、ぜんぶあげるけん」と書いてあった。だから、何も悪いことはしていないと思ったが、そのあと、「桃太郎は、おにをゆるしてやった」と書いてある。もしかすると、悪いことはしたのかもしれない。

・・

❶ももたろう（講談社の創作絵本）

❷代田昇文・箕田源二郎絵

❸講談社　❹1978年

ちがうところ　この桃太郎は、とてもおもしろい。犬には、「いぬがしま」で会い、さるには、「さるがしま」で会い、きじとは「きじがしま」で会う。とてもおもしろい。桃太郎は、犬、さる、きじにきびだんごを半分しかやらない。鬼は、米やあわをとったり、むすめっこをさらったりしていた。鬼は、おおきなふねと、金、銀、さんごもあげた。

読んだ感想　この本の桃太郎は、寝太郎型で、さそわれても、言い訳をして行かない。行っても、昼寝ばかりでうさぎしかとってこなかった。私は、桃太郎はよく鬼退治に行けたなと思った。全然運動していないのに、よく退治できたな。この鬼は、とても悪い。「しお、米、あわ」を奪っていった。そして、若いむすめもさらっていった。とても悪い鬼だ。

❶ひろすけ幼年童話２りゅうの目のなみだ（ももたろうの足のあと）
❷浜田廣介文
❸集英社　❹1981年

（出典：国立国会図書館）

ちがうところ　このお話には、鬼が出てこない。お話が途中までで、鬼退治の場面が出てこない。鬼が島に行く途中でお話が終わる。足のあとのお話がとても多い。鬼が悪いことをした、とは書いていない。急に鬼退治に行く。

読んだ感想　このお話は、他の桃太郎のお話とちがう。鬼退治のお話というより、足のあとのお話だ。足あとは残らないが、桃太郎がやった足あとは残る、というお話なんだろうか。今まで読んできた桃太郎とは少しお話がちがった。

❶ももたろう（えほん・こどもとともに）
❷赤座憲久文・小沢良吉絵
❸小峰書店　❹1991年

ちがうところ　桃から生まれたのではなく、すでに生まれていた。たらいの中に寝かされて、桃をにぎっていた。「鬼が島」ではなく、「おにやしき」に鬼退治に行く。犬、さる、きじに、きびだんごを半分しかやらない。残った半分のきびだんごは、鬼たちにさらわれた、は

らぺこの子どもたちや、むすめに分けてやった。そして、戦いに加わる。

読んだ感想 この本に出てくる鬼は、赤鬼が手下に旅人をおそわせたり、むすめや、子どもをさらう悪い鬼だ。私が知っているきびだんごは、「日本一のきびだんご」だが、この本には、「天からふってきたきびだんご」と書いてある。この桃太郎は、ケチだと思った。だが、最後の方まで読むと、半分しかやらなかった理由がわかってくる。あとで、さらわれた子どもたちや、むすめにあげるためだった。桃太郎は、かしこいと思った。

....

❶ももたろう（松谷みよ子むかしばなし）
❷松谷みよ子作・和歌山静子絵
❸童心社　❹1993年

ちがうところ この桃太郎は寝太郎型の話である。鬼どもが来て、畑を荒らし、むすめや子どもをさらっていった。鬼が来ているあいだ、桃太郎は、ぐーすか寝ていた。村の人たちに、「おにをたいじにいってくれ」とたのまれるが、「あした」と言って行かない。犬、さる、きじにきびだんごを半分しかやらない。さるかにがっせん、かちかち山の仲間が助けにくる。

（出典：岐阜県図書館）

読んだ感想 この本の鬼は悪い鬼だ。村の畑をあらしたり、むすめや子どもをさらっていく、悪い鬼だ。桃太郎は、鬼が来たことにも気がつかずに寝ていた。気がつかないなんてこと、あるのだろうか。お話の仲間たちも、よく桃太郎を助けたなと思う。こんな桃太郎もあるんだなと思って、びっくりした。

❶日本の昔話３ももたろう
❷おざわとしお再話・赤羽末吉絵
❸福音館書店　❹1995年

ちがうところ　この桃太郎はお手伝いとかをしない、寝太郎型の話だ。村の子どもたちに、「山へしばかりに行かないか」とさそわれても、「今日はしばをかるかまがないから、行かない」とさそいをことわる。そして、また、「山に行こう」と言われ、その日は行ったが、何もしなかった。

読んだ感想　この桃太郎は、他の桃太郎に比べて、活動があまりない。言い訳ばかりで、さそわれても、行かない。行っても、寝てばかりで、何もしなかった。私は、あんまり運動していないのに、よく鬼退治に行けたな、と思った。鬼は、村をあらしたり、子どもをさらったりする、悪い鬼だ。

・・・

❶子どもに語る日本の昔話３（桃太郎）
❷稲田和子・筒井悦子
❸こぐま社　❹1996年

ちがうところ　桃が１つ流れて来て、おばあさんが食べてしまう。２つ目をおじいさんに持っていく。桃太郎は、毎日ごろごろして、寝てばかりいた。大木を谷川に落とした音を聞いた殿様が「桃太郎を鬼退治に行かせよう」と言った。犬、さる、きじに、きびだんごを半分しかやらない。

読んだ感想　「鬼の親分は涙を流し、両手をついてあやまった」というところから、かわいそうだな、と思った。他の本の鬼は泣いていないが、この本の鬼は泣いていた。だから、反省しているのがよくわかる。泣いているのは、この本がはじめてだ。

❶むかしむかしあるところに（桃太郎）
❷楠山正雄作
❸童話屋　❹1996年

ちがうところ　この本の桃太郎は、「日本の国じゅうで、桃太郎ほどつよいものはないようになりました」と書いてある。とても強いことがわかる。「桃太郎は十五になりました」と書いてあった。「鬼どもが、（中略）かすめとった貴い宝ものを守っている」と書いてある。鬼が島へ行くには、何年も何年もかかる。だが、桃太郎はあっというまに着いた。

読んだ感想　この桃太郎は、おじいさんとおばあさんによく孝行をした、と書いてある。やさしい桃太郎だなと思った。この桃太郎の鬼は、「わるい鬼ども」と書いてある。ということは、鬼は、悪いことをしたのだろうか。この鬼は、宝を守っている、と書いてある。とてもていねいにあつかっていたのがわかる。

❶新・講談社の絵本　桃太郎
❷千葉幹夫文・構成・斎藤五百枝画
❸講談社　❹2001年

ちがうところ　この桃太郎は、生まれた時から力持ちだった。うぶゆをつかわせようとしたら、桃太郎がうぶゆを入れたたらいを頭の上まで持ちあげた。犬とさるがけんかをする。だが、桃太郎が止める。鬼の親分は、さんごや打出の小こづちなどたくさんの宝ものを桃太郎に差しだした。みんなで無事を祝って、宝ものを分けあった。

❶みんなでやろう　ももたろう（わたしのえほん）
❷さくらともこ再話・せべまさゆき絵
❸PHP研究所　❹2001年

ちがうところ　おともになってもらう時にきびだんごは1個、鬼が島についた後に、もう1個あげた。そのおかげで勇気や力がわいてきた。

読んだ感想　この本の鬼は悪いことをしたと書いてある。この本は、小さい子ども向けで劇遊びができるように会話文のかぎかっこの上に絵が書かれている。

- -

❶日本昔話百選　改訂新版（桃太郎）
❷稲田浩二・稲田和子編著
❸三省堂　❹2003年

ちがうところ　「ドンブリ、カッシリ、スッコンゴー」と桃が流れてくる。桃太郎は言い訳ばかりをして働かない。桃太郎は弁当を食べる時だけ起きて、ずっと昼寝ばかりしている。大きな木を谷川に落とした音を聞いた殿様に、「鬼が島へ鬼退治行け」と言われる。犬、さる、きじに、きびだんごを半分しかやらない。

読んだ感想　この桃太郎の鬼は悪さをしていた、とは書いていない。この本には、「寝太郎型の話である」と書かれている。この桃太郎は、寝てばっかりで、お手伝いもしないし、きびだんごも半分しかあげないから、ケチだと思った。鬼が悪さをしたとは書いていないが、鬼が、「もう、里へ出て、悪いこたあはしません」と言っている。悪さをしたのであろうか。

❶ももたろう（CD English）
❷ルミコ・バーンズ指導・さいとうまり絵
❸学研　❹2003年

ちがうところ　急に鬼退治に行くことになった。宝ものを勝手に
持って帰ってきた。

⋯⋯⋯⋯⋯⋯⋯⋯⋯⋯⋯⋯⋯⋯⋯⋯⋯⋯⋯⋯⋯⋯⋯⋯⋯

❶それからのおにがしま
❷川崎洋
❸岩崎書店　❹2004年

ちがうところ　この本は、桃太郎の続きのお話だ。主人
公は、桃太郎ではなく、鬼になっている。鬼は、とてもいい鬼で、人間と仲
良くしている。

読んだ感想　この本は、桃太郎の続きのお話で、桃太郎が鬼退治に行っ
たあとのお話だ。鬼は人間と仲良くなり、節分の時は、
「ふくはーうち　おにあーそぼ」と言うそうだ。最後に、桃太郎がおじい
さんになってて、自分が鬼退治に行ったことを忘れていた。

⋯⋯⋯⋯⋯⋯⋯⋯⋯⋯⋯⋯⋯⋯⋯⋯⋯⋯⋯⋯⋯⋯⋯⋯⋯

❶ももたろう（世界の名作童話動く絵本）
❷平田昭吾企画・構成・文・大野豊画
❸サンスポ開発　❹2006年

ちがうところ　鬼を見たくなって鬼が島
に行った。鬼が悪さをし
たとは書いていない。

❶ももたろう（日本の昔話えほん）

❷山下明生文・加藤休ミ絵

❸あかね書房　❹2009年

ちがうところ　この桃太郎は、きびだんごを食べて育つ。犬、さる、きじを家来にするときに、きびだんごを１つではなく２つあげる。桃が流れてくる時、「どんぶらこっこ　ざんぶらこ」と流れてくる。鬼の大将はよっぱらっていて、敵と味方の区別がつかなくなり、自分の足をぶったたいてしまう。

読んだ感想　この本の鬼は、畑をあらし、むすめをさらい、お城の宝ものまで盗んでいく、悪い鬼だ。この本は、漢字にふりがながふってあって読みやすかった。この本では、桃太郎はきびだんごを食べて、ずんずん大きくなった。犬、さる、きじにきびだんごを２つあげて家来にする。鬼退治をして、村に帰ったあと、きびだんごでお祝いをする。このきびだんごにはすごい力があると思った。

⋯⋯⋯⋯⋯⋯⋯⋯⋯⋯⋯⋯⋯⋯⋯⋯⋯⋯⋯⋯⋯⋯⋯⋯⋯⋯⋯⋯⋯⋯

❶ももたろう（日本語＆英語CD付絵本）

❷なかむらともこにほんご・すずきさゆりえいご・ほんだとよくにえ

❸ラボ教育センター　❹2011年

ちがうところ　鬼が悪さをした、とは書いていない。急に鬼退治に行くと言いだした。鬼の宝ものを見つけて、勝手に持って帰った。

❶語りつぎたい日本の昔話３　桃太郎
❷小澤俊夫監修・小澤昔ばなし大学再話研究会再話・長野ヒデ子絵
❸小峰書店　❹2011年

ちがうところ　赤い小さな巾着に桃が入って流れてきた。山から鬼が出てきて、わずかな食べものも持っていってしまう。「きびだんご」ではなく、「力餅」。「きじ」ではなく「山鳥」。下っぱの赤鬼、青鬼、黒鬼をあっというまに退治したが、鬼の大将は、力が強く、なかなか退治できなかった。そこで、「唐辛子味噌をつけて食ってやる」と言ってかかっていった。

読んだ感想　ある年、村にききんがおきて、作物がわずかしかとれなかった。そのわずかな作物を鬼がとっていってしまって村の人たちは苦しんでいた。この鬼はひどいと思う。この桃太郎は、「きじ」が「山鳥」だったり、「きびだんご」ではなく「力餅」だったり、「桃が流れてくる」ではなく、〝桃が巾着に入って流れてくる〟になっていたりした。登場人物や、名前も少しちがっていた。でも、話の流れはだいたい同じだった。

❶ももたろう（トッパンのこども絵本）
❷小林純一文・谷口健男絵❸フレーベル館❹1962年

（出典：岐阜県図書館）

❶ももたろう（世界傑作絵本シリーズ）
❷松居直文・赤羽末吉絵❸福音館書店
❹1965年

❶ももたろう（おとぎばなし）
❷那須田稔ぶん・福田庄助え❸鶴書房盛光社❹1967年

❶ももたろう（カスタム版どうわ絵本）
❷よだじゅんいち文・みよしせきや絵
❸偕成社❹1969年

（出典：岐阜県図書館）

❶日本の民話12（ももたろう）
❷民話の研究会編・松谷みよ子・吉沢和夫監修
❸世界文化社❹1970年

（出典：岐阜県図書館）

❶ももたろう（日本のむかし話）
❷瀬川康男絵・松谷みよ子文
❸講談社❹1970年

（出典：岐阜県図書館）

❶桃太郎　くらげのおつかい（日本昔話えほん全集）
❷山本忠敬・岩本康之亮共画・藤田次雄文
❸ひかりのくに
❹1971年

（出典：岐阜県図書館）

❶ももたろう（トッパンの人形絵本　にほんのおはなしシリーズ）
❷春名殷子企画・構成
❸フレーベル館
❹1971年

（出典：岐阜県図書館）

❶ももたろう（日本むかしばなし）
❷北畠八穂文・馬場秀夫画
❸ポプラ社
❹1974年

（出典：岐阜県図書館）

❶ももたろう（ファミリーえほん）
❷童画研究会編
❸きくや書店
❹1974年

❶ももたろう（ハミングえほん）
❷大野清絵
❸栄光社
❹1975年

❶ももたろう（ピッコロえほん）
❷長谷川露二絵・北村芳子文
❸栄光社❹1975年

❶ももたろう（ひかりのくにえほん）
❷小春久一郎文・塩田守男画❸ひかりのくに
❹1976年

（出典：岐阜県図書館）

❶ももたろう（ひかりのくに声のえほん）
❷関根栄一・東映動画絵
❸ひかりのくに
❹1976年

（出典：岐阜県図書館）

❶桃太郎（まんが日本昔ばなし）
❷愛企画センター
❸二見書房
❹1976年

❶ももたろう（日本むかし話）
❷ひろみプロ制作
❸高橋書店
❹1977年

❶ももたろう（講談社の絵本）
❷かつおきんや文・太田大八絵
❸講談社❹1978年

（出典：岐阜県図書館）

❶ももたろう
❷舟崎克彦文・石倉欣二絵
❸講談社
❹1979年

（出典：岐阜県図書館）

❶ももたろう（絵本ファンタジア）
❷たけもとかずこぶん・ありがしのぶえ
❸コーキ出版
❹1979年

❶ももたろう（おとぎばなし絵本）
❷那須田稔ぶん・福田庄助え
❸すばる書房
❹1979年

❶ももたろう（にほんのむかしばなし）
❷こわせたまみ文・赤坂三好絵❸チャイルド本社❹1979年

❶ももたろう（フレーベルのえほん）
❷君島久子文・武井武雄絵❸フレーベル館❹1979年

（出典：岐阜県図書館）

❶ももたろう（童心社の家庭版かみしばい）
❷川崎大治作・二俣英五郎画
❸童心社❹1981年

（出典：岐阜県図書館）

❶桃太郎（中国語）
❷苗奇訳・揚永青画
❸人民美術出版社
❹1982年

（出典：岐阜県図書館）

❶ももたろう（まんが日本昔ばなし）
❷愛企画センター企画・国際情報社編集部編集
❸国際情報社❹1982年

❶ももたろう（アニメ・ファンタジー）
❷平田昭吾企画・構成・文
❸ポプラ社
❹1983年

（出典：岐阜県図書館）

❶ももたろう（小学館の育児絵本）
❷岩崎良信絵
❸小学館
❹1983年

❶ももたろう（二どひらくむかしばなし絵本）
❷高橋宏幸作・絵
❸岩崎書店
❹1983年

（出典：岐阜県図書館）

❶ももたろう（にほんむかしばなし）
❷岩崎京子文・宇野文雄絵
❸フレーベル館
❹1984年

❶ももたろう（ぎょうせい知育絵本）
❷スタジオアップ構成・画・松原達哉監修
❸ぎょうせい
❹1986年

❶ももたろう（ミキ
ハウスの絵本）
❷湯村輝彦絵・川崎洋文
❸三起商行
❹1987年

❶ももたろう（アニ
メむかしむかし絵本）
❷西本鶏介文・高橋信也絵
❸ポプラ社
❹1990年

（出典：岐阜県図書館）

❶ももたろう（名作
アニメ絵本シリーズ）
❷卯月泰子構成・文・
大野豊画
❸永岡書店
❹1991年

（出典：岐阜県図書館）

❶ももたろう（原作
版アニメ名作絵本）
❷大内曜子文・わら
べきみか絵
❸ひかりのくに
❹1993年

（出典：岐阜県図書館）

❶ももたろう さる・きじ・い
ぬとおともだち（おやすみま
えにママよんでね）❷弦川
琢司ぶん・小堤一明え❸学
習研究社（学研）❹1995年

❶ももたろう（音ので
るポップアップ名作絵本）
❷巻左千夫構成・冬
野いちこ絵
❸ポプラ社❹1997年

❶ももたろう（たの
しいしかけえほん）
❷木村裕一構成・舟崎
克彦文・西村達馬絵
❸金の星社❹1997年

❶ももたろう（はじめ
てのめいさくしかけえほん）
❷さいとうまり絵
❸学習研究社（学研）
❹1998年

（出典：岐阜県図書館）

❶ももたろう
❷馬場のぼる文・絵
❸こぐま社
❹1999年

❶まんが日本昔ばな
し　ももたろう
❷――
❸講談社
❹1999年

（出典：岐阜県図書館）

❶ももたろう（学研・ひとりよみ名作）
❷おばらあやこぶん・うめだふじおえ
❸学習研究社（学研）
❹2000年

（出典：岐阜県図書館）

❶ももたろう（日本昔ばなしアニメ絵本）
❷柳川茂文・宮尾岳絵
❸永岡書店
❹2000年

（出典：岐阜県図書館）

❶ももたろう（かみしばいしよう！）
❷古藤ゆず文・中村景児絵
❸学習研究社（学研）
❹2001年

❶ももたろう（はじめてのめいさくしかけえほん）
❷いもとようこ文・絵
❸岩崎書店
❹2001年

❶ももたろう（子どもと読みたいおはなし）
❷松岡節文・二俣英五郎絵
❸ひかりのくに
❹2002年

❶ももたろう（日本むかし話）
❷松谷みよ子文・瀬川康男絵
❸フレーベル館
❹2002年

❶ももたろう
❷水谷章三作・スズキコージ絵
❸にっけん教育出版社
❹2003年

❶ももたろう完結版
❷守屋裕史画・野村純一監修
❸田原本町観光協会
❹2003年

❶ももたろう（てのひらむかしばなし）
❷長谷川摂子文・はたこうしろう絵
❸岩波書店❹2004年

❶ももたろう（みんなでよもう！日本の昔話）
❷こわせたまみ文・赤坂三好絵
❸チャイルド本社
❹2004年

❶新装版ももたろう
❷代田昇文・箕田源
二郎絵
❸講談社
❹2005年

❶ももたろう（松谷
みよ子むかしむかし）
❷松谷みよ子作・和
歌山静子絵
❸童心社❹2005年

❶ももたろう（ワン
ダー民話館）
❷水谷章三文・杉田豊絵
❸世界文化社
❹2005年

❶ももたろう　だれでも
知っているあの有名な
❷五味太郎作
❸絵本館
❹2006年

❶ももたろう（はじ
めてめいさく）
❷わらべきみか絵
❸ひさかたチャイルド
❹2007年

❶ももたろう（めいさ
くしかけ3話入り）❷
古藤ゆず文・さいとうま
り・西内としお・すがわ
らけいこ絵❸学習研究
社（学研）❹2007年

❶ももたろう（日本
むかしばなし）
❷いもとようこ文・絵
❸金の星社
❹2008年

❶語りかけ絵本　3さい
の本　日本のおはなし
❷沢井佳子監修・間
所ひさこ文
❸講談社❹2009年

❶ももたろう（いま
むかしえほん）
❷広松由希子ぶん・
伊藤秀男え
❸岩崎書店❹2009年

❶ももたろう（日本
名作おはなし絵本）
❷市川宣子文・長谷
川義史絵
❸小学館❹2010年

❶ももたろう（たんぽぽえほんシリーズ）❷こわせたまみ文・高見八重子絵❸鈴木出版❹2012年

❶講談社の創作絵本　よみきかせ日本昔話　ももたろう❷石崎洋司文・武田美穂絵❸講談社❹2012年

❶桃太郎が語る桃太郎（1人称童話シリーズ）❷クゲユウジ文・岡村優太絵❸高陵社書店❹2017年

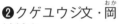

資料編②

江戸時代～大正・明治・昭和初期の「桃太郎」読み比べ

凡例

❶書名 ❷著者 ❸出版社 ❹出版年

荷物はロッカーにあずけ、持ちものは透明なバッグに入れます。市立図書館とちがって、県立図書館は警備が厳重でびっくり!!リュックなどは持ち込み禁止なんだね!

（2018年8月21日千葉県立中央図書館にて）

❶尋常小學校讀本　小學校教科用図書1

❷—

❸文部省編輯局・大日本圖書　❹1887年

（出典：国立国会図書館デジタルコレクション）

ちがうところ・感想

ふたりがたべやうと思うて居ると、桃は、二つにわれて、中から、かはゆらしいをとこの子がうまれました。

この桃太郎は、桃が2つにわれて、桃太郎が生まれているんだ!!　私が知っている生まれかただね!!

ある日、ぢゞばゞに向うて、「私は、鬼がしまへ、たから物を取りに行きたい」といひました。

宝ものを取りに行く!?　この本でも、宝ものが欲しいから取りに行くという目的で鬼が島に行った、ということなのかな?　じゃあ、鬼は、悪いことをしていないのに、桃太郎にせめられたの?　かわいそう……。

江戸時代と明治時代のお話を比べると、宝ものを取りに行くために鬼が島へ行くのは同じだった。でも、桃太郎の生まれかたはちがう。若返ったおばあさんから生まれたのか、桃から生まれたのか。どうしてこんなにちがうんだろう。

❶小學國文讀本（山縣本）巻之三
❷山縣悌三郎著
❸文學社　❹1892年

（出典：明治期教科書デジタルアーカイブ　国立教育政策研究所教育図書館）

ちがうところ・感想

ぢゞばゞにむかひ、「私は、おにがしまへ、おにたいぢにゆきたい」といひだしました。（中略）おにとは、わるもののことであります。（『桃太郎像の変容』滑川道夫著、1981年、東京書籍、P159、161より引用）

宝ものを取りに行くとは書いてない!!　でも、「おにとは、わるもののこと」って書いてある!　鬼のことを「悪くない!」って言ってた人は、いたのかな?　結局、鬼は悪い!　って決めつけてるように聞こえる。

❶尋常小学読書教本（今泉本）巻四
❷今泉定介・須永和三郎編
❸普及舎　**❹**1894年

（出典：広島大学図書館教科書コレクション）

ある日、桃太郎は、ぢゞとばゞに向ひ、「此のころ、鬼ヶ島に、鬼どもあまたうちよりて、人をくるしめ、たから物をかすむるやうすゆゑ、之を征伐したし」と、まうし出でたり（『桃太郎像の変容』P166より引用）

　あっ!!　鬼退治に行く理由づけがされているよ！　鬼が島の鬼どもが集団で人を苦しめたり、宝ものを盗んだから征伐したって書いてある！

　鬼が降参して、桃太郎に宝ものを差しだす場面でもちがいがありました。江戸時代～明治初期の桃太郎では、鬼から宝ものを奪い取ったりぶんどったりするのがほとんどでした。

　1911（明治44）年の尋常小学唱歌の「桃太郎」の中にも書かれている。

３番　おもしろい　おもしろい
　　　のこらず鬼を攻めふして
　　　分捕物をえんやらや→宝ものをぶんどっている！　無理矢理奪い取っているんだ!!　ひどい……。

　しかし、この「桃太郎」では岩屋を調べて、「宝物を納め」と書かれていて、宝ものを受け取るというやわらかい表現にしているそうです。確かに書きかたで鬼や桃太郎の印象がかわってくるね。

・・・・・・・・・・・・・・・・・・・・・・・・・・・・・・・・・・・・・・・

❶訂正　帝國讀本　巻之四
❷学海指針社編輯
❸集英堂　**❹**1894年

「われは、鬼ヶ島へ宝物を取りに行くなり」
　この桃太郎も、「宝物を取りに行く」というの

が鬼が島へ行く理由になっている
な。この本も「鬼が悪い」とは書い
ていないが、きっと鬼は悪者という
イメージが強いんだね。

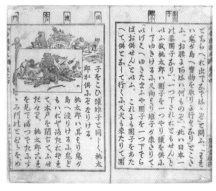

（出典：広島大学図書館教科書コレクション）

❶日本昔噺　第１編　桃太郎
❷巌谷小波
❸博文館　❹1896年

ちがうところ・感想　この桃太郎は、理由もなく鬼退治に行き、宝ものを奪って鬼の首を取り屋根にのせた、というとても残虐な桃太郎です。私は、鬼よりも桃太郎が悪い

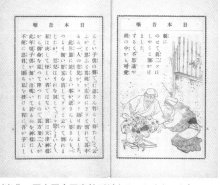

（出典：国立国会図書館デジタルコレクション）

と思います。私は、これが鬼瓦になったのかなと思いました。

　滑川道夫さんや、桑原三郎さん、鳥越信さんの本には、巌谷小波の桃太郎が現在の桃太郎のお話に影響をあたえていると書いてありました。

　浜田広介の「黄金の稲束」が懸賞おとぎ話募集で一等になったとき、巌谷小波が浜田広介の噺をとてもほめていたといいます。

　そもそも「おもえば十歳のころ、さざなみ先生のおとぎばなしにうつつをぬかし、はたちのころからアンデルセンに近づき」（「小波アンデルセン」）と語ったように、広介が幼少のころから親しんできた作家が巌谷小波であり、自分の最初の作品が選者であったその小波から高く評価されたという広介の喜びは、測り知れないと書かれていました。こんなところで二人が関係しているなんてびっくり!!

❶赤本　むかしむかしの桃太郎
❷藤田秀素
❸米山堂　❹1918年（復刻版）

（出典：東京都立多摩図書館）

ちがうところ・感想

　赤本『桃太郎』を読んでみたけど、つなげ字や、へびみたいな字がたくさんあって、読めても「いぬ」や「さる」しか読めないよ!!どうしようと思っていました。そこで郷土資料館の学芸員さんに解説をお願いしました。

　この桃太郎の題名は、赤本『桃太郎』ではなく、『むかしむかしの桃太郎』でした。ウィキペディアには、「むかしくの桃太郎」と書かれていることを学芸員さんに伝えると、「インターネットはまちがっています」と言っていました。

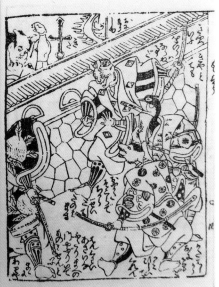

（『むかしむかしの桃太郎』より、出典：東京都立多摩図書館）

111

この桃太郎は、桃を食べたおじいさん、おばあさんが若返り、若返ったおばあさんから生まれる回春型のお話です。

このお話は、きびだんごをおばあさんがつくるのではなく、おじいさん、おばあさん、桃太郎の３人できびだんごをつくっていました。学芸員さんによると、おばあさんが「よくできました」と言っているそうです。

桃太郎が鬼退治に行く理由は、はっきりとはわかりませんが、力比べで鬼退治に行ったと言っていました。

この桃太郎の本は、絵がたくさんあり、絵だけでも、少しだけわかりました。でも、解読してもらったほうがよくわかりました。とても学芸員さんにお世話になりました。ありがとうございました。

宝ものでもなく、鬼の悪さでもなく、力比べで鬼退治に行くという桃太郎のお話ははじめてだったので、とても興味がありました。読んでみると、とてもおもしろい内容でした。

・・

❶尋常小學國語讀本　巻一（ハナハト本）

❷文部省

❸日本書籍　❹1918年

ちがうところ・感想

この桃太郎は、理由もなくというか、おじいさんおばあさんに相談もせずに急に鬼退治に行っています。いつもの桃太郎は、何かしら理由があります。

何も理由がない桃太郎ははじめてです。この桃太郎

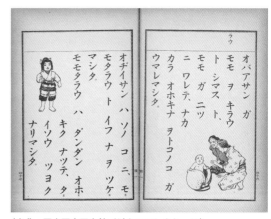

（出典：国立国会図書館デジタルコレクション）

は、桃から生まれてくる果生型です。

鬼退治に行く理由以外は、私が知っている桃太郎と同じです。

❶日本随筆大成　二期第十巻　日本随筆大成編輯部（滝沢馬琴著「燕石雑志」）
❷日本随筆大成刊行会

❸——　❹1928年

ちがうところ・感想

この桃太郎は宝ものを取りに行きたいという理由で鬼退治に行きました。ということは、鬼は何も悪くないのに鬼が島に行ったのかな？　でも、宝

（出典：国立国会図書館デジタルコレクション）

ものは本当にもらっています。その宝ものは３つで、かくれがさ、打出の小づち、かくれみのです。打出の小づちは知っています。一寸法師や、おむすびころりんにも出てくるよね。あっ!!　そういえば、桃太郎神社に「打出の小づちを返してください」って書いてあった!!　きっと誰かがとったんだね。

❶修身童話　第壱巻
桃太郎
❷樋口勘次郎
❸開発社
❹1898年

（出典：国立国会図書館デジタルコレクション）

❶小學國語讀本尋常科
用巻一（サクラ読本）
❷文部省
❸東京書籍
❹1933年

（出典：広島大学図書館教科書コレクション）

資料編③

鬼が出てくる
絵本・物語と調べ学習で
参考にした本

凡例

❶書名 ❷著者 ❸出版社 ❹出版年

ここで紹介している書籍は、
現在品切れで販売されていないものもあります。
品切れなどさまざまな理由で、表紙画像を掲載していないものもあります。

おにたん

❶学年別 日本のむかし話 ３年生（おにの子）　❷坪田譲治・浜田広介・大藤時彦編
❸実業之日本社　❹1955年

読んだ感想　この話は、鬼と人間の間にできた子どもの話です。その結婚した人間の弟が来て、人間とその弟と鬼の子が家に帰ろうとしたけど鬼がじゃましてきて、鬼は殺されて、鬼の子は海にとびこんで死んだ。鬼の子は悪くないのに……。かわいそう。

（出典：熊本県立図書館）

・・・

❶だいくとおにろく　❷松居直再話・赤羽末吉絵
❸福音館書店　❹1962年

読んだ感想　この本の鬼（おにろく）は、「おまえのめだまよこしたら、おれがおまえにかわって、そのはしかけてやってもええぞ」と言う。そのあと鬼は、「そんなら、おれのなまえをあててればゆるしてやってもええぞ」と言う。そして、大工が、「おにろく」と大きな声でさけび、鬼は消えていった。鬼は、やさしいのか、悪いのかわからない。この本は、保育園の頃、読んだことがあったので、なつかしかった。

・・・

❶おにたのぼうし　❷あまんきみこ文・いわさきちひろ絵
❸ポプラ社　❹1969年

読んだ感想　この本は、節分の日のお話だ。おにたは、とてもやさしい鬼で、お母さんの病気をかんびょうしている女の子に、あたたかそうな赤ごはんとうぐいすいろの煮豆を持っていってあげた。だが、最後は、女の子が「まめまき、したいなあ」と言って、おにたはいなくなる。このお話は、教科書にものっていた。

❶島ひきおに　❷山下明生文・梶山俊夫絵
❸偕成社　❹1973年

|読んだ感想| この本の鬼は、『泣いた赤鬼』
のように、人間と仲良くなる
ことを望んでいた。私は、この鬼がかわいそう
だと思った。だって、人間の島へ行くと、「ほ
かの村へいってもらわにゃ」と言われて、他の
村へ行くと、また、「ほかのところへいってく
れんさい」と言われる。人間で例えると、レストランに入ると、「他のレ
ストランへ行け」と言われているのと同じだ。とてもかわいそうだ。

● ●

❶まだらのおにろく　❷松田司郎作・石倉欣二画
❸金の星社　❹1975年

|読んだ感想| おにろくは、『泣いた赤鬼』のように、
やさしい鬼だ。だが、大人は、鬼はき
けんだといって、鬼と一切かかわっていなかった。お
にろくは、サヨに木ぼりの人形といぶしたイノシシの
肉をあげた。その夜にサヨは山かぜにかかった。おに
ろくが山かぜだといっても、大人たちは信じなかった。

（出典：岐阜県図書館）

● ●

❶じごくのそうべえ　❷たじまゆきひこ作
❸童心社　❹1978年

|読んだ感想| この本は、じごくのお話
である。じごくだから、
鬼はとても悪い鬼だ。じごくに行った４人
は、自分たちのとくぎを生かして、じごく
の、ふんにょうじごく・ねっとうのかま・
はりの山をクリアして、４人全員生きかえ
った。この話は、とてもおもしろい。

❶くわずにょうぼう　❷稲田和子再話・赤羽末吉画
❸福音館書店　❹1980年

読んだ感想

『くわずにょうぼう』は、とても
おもしろい。にょうぼうは、おに
ばばで、食われそうになって、木の枝につかまり、
助かるというお話だ。このおにばばは、「しょうぶ」
と「よもぎ」がどうも苦手らしい。最後は、「よも
ぎのしる」がくっついて、体がとけてしまった。こ
の鬼は、よく働くが、うらで、悪いことを考えている悪い鬼だ。

❶おにの子こづな　❷木暮正夫ぶん・斎藤博之え
❸ぽるぷ出版　❹1986年

（出典：岐阜県図書館）

読んだ感想

この話の鬼は、とても悪い鬼
だ。じさまのむすめをさらって
子どもを生ませた。その子どもを「こづな」と名
づけた。じさまはむすめを探してむすめたちがい
るところにたどりついた。だが、鬼はじさまを食
おうとして勝負しようといって勝負をしたが、こ
づなのおかげでじさまは食われずにすんだ。

❶ソメコとオニ　❷斎藤隆介作・滝平二郎絵
❸岩崎書店　❹1987年

読んだ感想

この本の鬼は、やさしい鬼だ。
遊びたがり屋のソメコと一緒に
遊んでくれたからだ。はじめは、ソメコのお父に、
条件をつけてかえしてやるという手紙をわたそう
としたが、ソメコが遊ぼう遊ぼうとうるさいから、
最後は「はやくつれにきてくれ」という手紙をわ
たした。だから私は、この鬼は、いい鬼だと思う。

❶鬼が出た　❷大西廣文・梶山俊夫ほか絵
❸福音館書店　❹1989年

読んだ感想　この本は、昔の色々な鬼の絵が出てくる。いちばん心に残った絵は、「風神雷神図」だ。この絵には、2匹の鬼が出てくる。目が大きく開いていて、手と足がでかいから、この鬼は、私がイメージする鬼と全くいっしょだ。千葉県の鬼来迎がのっていた。

⸻

❶ヒサクニヒコの不思議図鑑1　オニの生活図鑑
❷ヒサクニヒコ文・絵　❸国土社　❹1991年

読んだ感想　この本は、鬼の生活がわかる。山オニ族と海オニ族というのに分かれていることにおどろいた。絵がかわいくて、こわいというよりは、とても親しみやすい鬼だった。強すぎる力も、自分たちに必要な時にしかつかわなかったらしいが、海オニ族はおとなしくて、山オニ族は、あらっぽい性格だそうだ。この本の鬼は人間みたいで、悪い鬼には見えなかった。

⸻

❶うりこひめ　❷松谷みよ子作・つかさおさむ絵
❸童心社　❹1994年

読んだ感想　このお話は、はじめだけ、「桃太郎」とにている。桃太郎では、桃が流れてくる。うりこひめでは、うりが流れてくる。この本に出てくる鬼、あまんじゃくは、悪い鬼だと思う。ちょっとだけ遊ぼうと言ってだましてつかまえて、うりこひめに化けて生活していた。だが、声などがいつもとちがうため、ばれて追いだされた。

❶こどものとも　しょうとのおにたいじ　❷稲田和子再話・川端健生画
❸福音館書店　❹1996年

読んだ感想　この本の鬼は、とても悪い鬼だ。しょうとが産んだ、３つのたまごを鬼が、「ちょっとみせてくだされ」と言って３つ全部のんでにげていった。この本は、人間が鬼退治するのではなく、しょうと、どんぐり、かに、くまんばち、牛、もちつきうす、なわが鬼退治をする。人間以外のキャラクターが鬼退治をする本ははじめてだ。そして、この本はおもしろい。

❶せつぶんだ　まめまきだ
❷桜井信夫作・赤坂三好絵
❸教育画劇　❹2000年

読んだ感想　この本は、節分のお話だ。この本では、豆まきや文化、色々な事を知ることができる。鬼は目に見えないと書かれている。そして、悪さをするらしい。最後にはお父さんが鬼のかっこうをして、子どもたちが豆まきをしている。この本は、漢字をつかっていないから、小さな子ども向けだ。

❶新・講談社の絵本　金太郎　❷千葉幹夫文・構成・米内穂豊画
❸講談社　❹2002年

読んだ感想　このお話には、鬼が悪いとは書いていないが、金太郎は鬼退治に行った。私は、この本ではじめて「金太郎」を読んだ。鬼がかわいそうだと思った。酒呑童子のお話に出てきた、「源頼光」が登場した。

❶黄泉のくに　❷谷真介文・赤坂三好絵
❸ポプラ社　❹2003年

読んだ感想　この本は、鬼や、人が出てくる。
女神のイザナミノミコトは大や
けどをしてしまい、全身をやかれてしまい、その
死んだ体や足から生まれた雷神がイザナギノミコ
トを追いかけまわす。人間の世界に帰ってくると、イザナミノミコトは、
「あなたのくにの人たちを、一日千人ずつ、ころしてしまいますから」と
言った。それにたいしてイザナギノミコトは、「わたしは、一日千五人ず
つ、こどもをうませるようにしてみせよう」と言った。

. . . .

❶鬼の首引き　❷岩城範枝文・井上洋介絵
❸福音館書店　❹2006年

読んだ感想　このお話は、若者を食うか食
わないかで姫と若者が戦っ
ている。鬼は、姫は若者に負けてしまうから
といって鬼の仲間をよんだ。その鬼の仲間は、
若者の首にひもをかけて首引きをはじめた。
だが、若者が力のかぎりふんばってひょいと
首のひもをはずしてにげていった。

. . . .

❶オニさんこちら　❷毛利まさみち文・絵
❸汐文社　❹2008年

読んだ感想　この本には、おばあさんと鬼が出
てくる。この本の鬼はやさしくて、
おばあさんに敬語をつかっていた。おばあさんが鬼
の太鼓を拾って、鬼に返して、鬼からちゃんちゃん
こをもらう。そして、鬼は、おばあさんのお手伝い
をしていた。この本は、鬼がやさしいとわかる本だ。

❶超訳日本の古典 5 今昔物語 宇治拾遺物語（鬼の手首を射切った兄弟の話）
❷加藤康子監修 ❸学研 ❹2008年

読んだ感想

この本は、2人の兄弟が出てくる。兄の髪の毛をつかんで、引きあげようとする、あやしい者がいた。弟は、それが鬼だと気づき、矢で手首を射った。その手首を持って帰ると、母親の手首とにているのに気づいた。ひどく年老いた親は、鬼になって、自分の子どもさえ食おうとするらしい。

---

❶超訳日本の古典 5 今昔物語 宇治拾遺物語（鬼にこぶを取られたおじいさんの話）
❷加藤康子監修 ❸学研 ❹2008年

読んだ感想

この話の題名は、「鬼にこぶを取られたおじいさんの話」と書かれているが、内容は、だいたい「こぶとりじいさん」と同じだ。この本の鬼は、悪い鬼なのか、よい鬼なのか、わからない。ただ、鬼たちみんなで盛りあがって、おじいさんのおどりを見て、おじいさんのこぶを取って、帰っただけだ。

---

❶超訳日本の古典 8 御伽草子 仮名草子（酒伝童子絵）
❷加藤康子監修 ❸学研 ❹2008年

読んだ感想

この話は、鬼がたくさん出てくる。6人の強い人たちが、鬼退治に行く。都から美しい姫たちがさらわれて、都の人たちが困っていたところに、みかどの命を受けて、鬼退治に6人のゆうかんな人たちが選ばれた。6人の人たちは、鬼をお酒で酔わせてたおした。

❶超訳日本の古典　8　御伽草子　仮名草子（一寸法師）
❷加藤康子監修　**❸**学研　**❹**2008年

読んだ感想

この一寸法師はとてもずるい。姫君に、どうしてもお嫁さんになってほしくて、米つぶを姫君の口のまわりにつける。一寸法師は、鬼にのみこまれてしまうが、目から出る。それを鬼たちは気味悪がってにげていった。私は、鬼が弱いと思う。これぐらいでにげるなんて、弱いと思う。

---

❶すみ鬼にげた　**❷**岩城範枝作・松村公嗣絵
❸福音館書店　**❹**2009年

読んだ感想

この本の「すみ鬼」は、とてもやさしい鬼で、お堂のすみで屋根をささえ、疫病や魔ものからお堂を守ってくれている、やさしい鬼だ。このお話に出てくる「すみ鬼」は、奈良県の唐招提寺にいる。この「すみ鬼」は、はじめは、つらそうにしていた。だが、ヤスと出会って、うれしげで、今にも笑いだしそうな表情をするようになった。

---

❶新・今昔物語絵本　鬼のかいぎ　**❷**立松和平文・よしながこうたく絵
❸新樹社　**❹**2011年

読んだ感想

この本の鬼は、人間にとっては、悪さをしているが、とってもやさしいことをしていた。昔、とても大きな木が立っていた。だが、その木が切られてしまい、百鬼（百匹もの鬼）が相談をしはじめた。人間に、木の本当の大切さに気づいてもらえるように、人間に悪さをした。私は、この鬼たちはやさしいと思う。

（出典：岐阜県図書館）

❶オニたいじ　❷森絵都作・竹内通雅絵
❸金の星社　❹2012年

読んだ感想　この本は、節分のお話だ。この本では、鬼を退治するのではなく、悪いことをしている人を鬼に見たてて、豆が退治をしてくれる。そして、最後には、鬼の役をした人が出てきて、「ことしはひとつぶもあたらなかったよ」と言っていた。この本は、悪いことをしてはいけないということを教えてくれる本だ。

- -

❶講談社の名作絵本　ないたあかおに
❷浜田廣介作・野村たかあき絵　❸講談社　❹2013年

読んだ感想　私がはじめて読んだ、鬼が出てくるお話は、この「ないたあかおに」だ。私は、本の中で、この「ないたあかおに」がいちばん好きで、心やさしい赤鬼と、友だちおもいの青鬼には、心を奪われる。赤鬼おもいの青鬼には、とても感動した。私も青鬼みたいになりたい。最後に、赤鬼と青鬼と人間みんなが仲良くなればいいのになと思った。

- -

❶おにつばとうさん　❷沼野正子文・絵
❸福音館書店　❹2015年

読んだ感想　このお話は、とうさんが仕事から家に帰る時に、鬼の行列に会って、見つかって鬼のつばをはきかけられるというお話だ。でも、そのつばをはきかけられたせいで、とうさんの姿が見えなくなっていた。観音様に言われたとおりにすると、鬼のつばが消え、姿が見えるようになっていた。

❶発見！古典はおもしろい１　ぞくっとするこわい話（取りついた餓鬼）
❷面谷哲郎文・水野ぷりん絵　❸偕成社　❹2015年

読んだ感想

この話には、餓鬼という鬼がでてきた。餓鬼とは、○死んだ人の亡霊。○ふつうの人には見えない、と書いてあった（P59）。清徳というお坊さんに餓鬼がとりついたため、食べても食べても、おなかいっぱいにならなかった。鬼にも、色々な種類があるのだなぁーと思った。

❶発見！古典はおもしろい１　ぞくっとするこわい話（鬼の片腕）
❷面谷哲郎文・水野ぷりん絵　❸偕成社　❹2015年

読んだ感想

このお話は、とてもこわい。この鬼は、私は悪い鬼だと思う。この鬼は、人に変装して、つなにおそいかかる。１回目は、女の姿で、２回目は、つなの伯母になっておそいかかる。うでをつなに切られ、取りもどして、また都にあらわれる。こういう話は、はじめてだ。

❶発見！古典はおもしろい１　ぞくっとするこわい話（鬼のひとつまみ）
❷面谷哲郎文・水野ぷりん絵　❸偕成社　❹2015年

読んだ感想

私は、このお坊さんはすごいなぁーと思った。とてもこわそうなようかいや、鬼がいるのに、声に出さずに、ようかいや鬼たちが帰るまで、寝たふりをしていた。鬼のひとつまみがでかいのなら、鬼もよっぽどでかいんだろうなぁーと思う。

❶母なる自然のおっぱい

❷池澤夏樹著

❸新潮社

❹1922年

❶福沢諭吉全集第20巻

❷慶応義塾編

❸岩波書店

❹1963年

（出典：国立国会図書館デジタルコレクション）

❶花さき山

❷斉藤隆介作・滝平二郎絵

❸岩崎書店

❹1969年

❶「鬼来迎」と房総の面

❷片山正和著

❸崙書房

❹1980年

❶福沢諭吉全集第3巻

❷富田正文・土橋俊一編

❸岩波書店

❹1980年

❶桃太郎像の変容

❷滑川道夫著

❸東京書籍

❹1981年

❶父　浜田広介の生涯

❷浜田留美著

❸筑摩書房

❹1983年

❶「桃太郎主義教育」の話

❷巌谷小波著・巌谷大四編

❸博文館新社

❹1984年

❶目で見る日本の歴史5　うけつがれる祭りと行事

❷中野重人ほか指導

❸学習研究社（学研）

❹1988年

❶柳田國男全集10

❷柳田國男著

❸筑摩書房

❹1990年

❶NHK歴史発見８
❷NHK歴史発見取材班編
❸角川書店（KADOKAWA）
❹1993年

❶昔話とこころの自立
❷松居友著
❸宝島社
❹1994年

❶日本おとぎばなし集ももたろうの悪事
❷TAMAYO著
❸青山出版
❹1995年

❶鬼の伝説
❷邦光史郎著
❸集英社
❹1996年

❶福沢諭吉と桃太郎—明治の児童文化
❷桑原三郎著
❸慶応義塾大学出版会
❹1996年

❶昔話にはウラがある
❷ひろさちや著
❸新潮社
❹1996年

❶訪れる神々　神・鬼・モノ・異人
❷諏訪春雄・川村湊編
❸雄山閣出版
❹1997年

❶昔話の森　桃太郎から百物語まで
❷野村純一著
❸大修館書店
❹1998年

❶鬼
❷高平鳴海・糸井賢一・大林憲司著
❸新紀元社
❹1999年

❶新・桃太郎の誕生　日本の「桃ノ子太郎」たち
❷野村純一著
❸吉川弘文館
❹2000年

❶おもしろ鬼学
❷山嵜泰正著
❸北斗書房
❹2003年

❶酒呑童子
❷川村たかし文・石
倉欣二絵
❸ポプラ社
❹2003年

❶図説　日本の昔話
❷石井正己著
❸河出書房新社
❹2003年

❶桃太郎の運命
❷鳥越信著
❸ミネルヴァ書房
❹2004年

❶童蒙おしえ草　ひ
びのおしえ
❷福沢諭吉著・岩崎弘
訳・解説❸慶應義塾大
学出版❹2006年

❶鬼が嗤った！日本
古代史
❷有賀訓著
❸KKベストセラーズ
❹2007年

❶鬼学
❷松岡義和著
❸今人舎
❹2008年

❶昔話と絵本
❷石井正己編
❸三弥井書店
❹2009年

❶裁判長！桃太郎は
「強盗致傷」です！
❷小林剛監修
❸永岡書店
❹2010年

❶妖怪ぞろぞろ俳句
の本下　鬼神・超人
❷古舘綾子文・山口
マオ絵
❸童心社
❹2013年

❶大人のための妖怪
と鬼の昔ばなし
❷―
❸綜合図書
❹2014年

❶日本人なら知っておき
たいモノの数え方えほん
❷町田健監修・ふわこ
ういちろうイラスト
❸日本図書センター
❹2015年

❶童蒙おしえ草　ひび
のおしえ　現代語訳
❷福沢諭吉著・岩崎
弘訳・解説
❸KADOKAWA
❹2016年

❶「ドコマデモ」考
―童話「泣いた赤お
に」成立論―
❷樋口隆著
❸不忘出版
❹2017年

❶ひろがることば小学
国語2上（わにのおじ
いさんのたからもの）
❷かわさきひろし文・
こみまさやす絵
❸教育出版❹2017年

❶鬼と日本人
❷小松和彦著
❸KADOKAWA
❹2018年

よつばの調べ学習の旅

7月21日に愛知県犬山市にある桃太郎神社に行ってきました!!

桃の鳥居の前でパチリ！愛知県犬山市の木曽川沿岸に桃太郎誕生地伝説があります。とてもおもしろい神社でした。

わーい

「桃太郎」のお話にでてくる動物や鬼、おじいさん、おばあさんの像がありました。なんとかわいらしい鬼！

（2018年7月21日　桃太郎神社にて）

桃太郎神社の中はとってもおもしろい!!

桃くぐりをすると、百年まで健康で長生きすると言われているそうです。

第十一番　大吉

桃太郎さんのみくじ

この人はご先祖の徳を多く受け頭も人よりすぐれた生まれつきにて、まことに幸運な人です。しかし、感謝の念がたりないと人の信用は得られません　▲望み事八十パーセントまでかなう　▲病気早く治る　▲失せ物近くにあり　▲結婚、十年くらい後に考えよ　▲職は親の仕事をつぐのがよい　▲この人は常に正直にし他人にも親切にすればいつまでも幸せに募せます

日本ライン犬山　桃太郎神社

おみくじで大吉が出ました!

目からポロポロと涙を流していました。反省しているのが伝わってくるね。

（2018年７月21日　桃太郎神社にて）

131

西日本豪雨で被害にあわれた みなさんが、一日でも早く 元に戻れますように

　2018年7月6日から7日にかけて、西日本を中心に大雨が降りました。

　テレビのニュースでも、被害の様子を放送していたので、京都の大江山には行けないかもしれないと思っていました。

　お母さんが、日本の鬼の交流博物館やホテルに電話してくれて、通常通り営業しているとのことだったので7月22日に行くことにしました。

大江山の8合目まで行ってきましたが、土砂崩れをしていたのであきらめて帰ってきました。

132

　私は、まだ子どもなので、ボランティアに行ったり寄付をしたりすることはできないけれど、自分のおこづかいから少しだけだけど募金してきました。次に行く時は元に戻った大江山を登山したいです。

桃太郎は盗人なのか？
―「桃太郎」から考える鬼の正体―

オリジナル作品
全ページ一覧

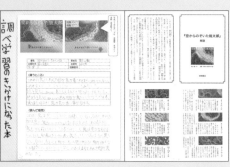

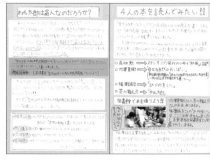

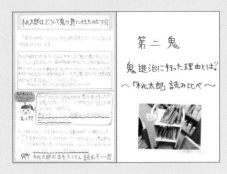

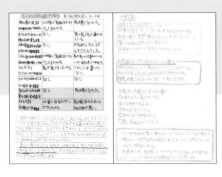

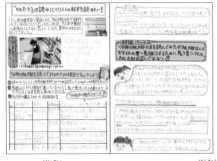

※ここに掲載しているのは、よつばさんの自由研究作品の本文部分の全ページです。

これ以外に読み比べページ、資料編のページがあります。

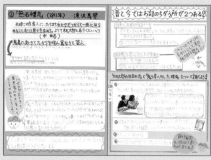

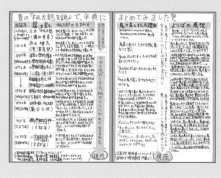

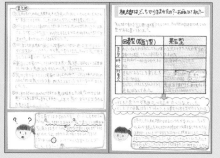

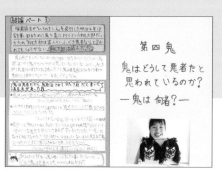

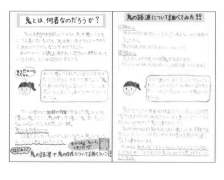

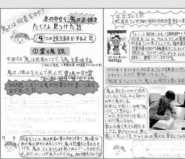

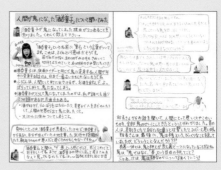

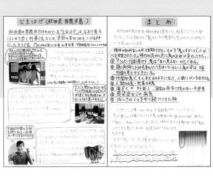

鬼とは何者なのか？ 本の中から「鬼の正体を」たくさん見つけた！！
4つの説を紹介するよ！！

① 霊の鬼 説

② 海ぞく説

③ 人間説

人間説について、もっとくわしく調べたい！

人間が鬼になった酒呑童子について調べてみた

④ 神説

鬼鎮神社（埼玉県嵐山町）

なまはげ（秋田県 男鹿半島）

まとめ

第五鬼
現在の鬼像
〜「泣いた赤おに」から〜

私がイメージする鬼像「やさしい鬼」とは？

浜田広介はどうして優しい鬼の物語を書いたの？

137

浜田広介が書いた「牙地太郎」を読んでみたい！！

第六鬼

まとめと感想

おたから

第七鬼

参考文献

かるたに鬼来迎があった！！

4年経屋各地かるた

鬼来迎を見てきた

のぞ！！最大の

参考・引用文献リスト（本を参考にした場合）

参考・引用文献リスト（インターネットを参考にした場合）

お世話になった方

ありがとうございました！！

素晴らしい賞をありがとうございました
——表彰式でのお礼の言葉

　私が「桃太郎は盗人なのか？」という調べ学習をしたのは、1冊の本に出会ったからです。それは岩崎書店の『空からのぞいた桃太郎』という絵本でした。

　黄色の帯に「鬼だから殺してもいい？　あなたはどう思いますか？」と書かれていたのです。「鬼は退治されて当たり前でしょ」と思っていた私は、この本を読み終わったあと、どんなことを思ったと思いますか？　それは、「鬼がかわいそう…」でした。

　『空からのぞいた桃太郎』は、私が知っている桃太郎の物語とは、ちょっとちがっていることに気がつきました。それで私は、本についてあった、カードサイズの解説本を読みました。そこには、びっくりすることが書いてありました。

　1つ目は、昔の桃太郎では、鬼退治に行く理由が書かれていないこと。

　2つ目は、桃太郎は盗人であると福澤諭吉や芥川龍之介が言っていたと書いてあったことです。

　それを解決するヒントは、桃太郎が鬼退治をした理由だと思いました。そこで、「桃太郎の読み比べ」をすることにしました。図書館の司書さんに相談して、江戸時代から明治・大正時代の桃太郎をたくさん見つけてもらいました。

　ここで困ったのは、読めない字がたくさんあって、解読できな

かったことです。明治・大正時代の桃太郎は、お母さんに手伝ってもらいながら、なんとか読むことができましたが、江戸時代に書かれた桃太郎はどうしても読めませんでした。そこで郷土博物館の学芸員さんにお願いして、解読してもらいました。

その結果、桃太郎が鬼退治をした理由は時代によってちがうことに気づきました。福澤諭吉が生きていた明治の桃太郎では、「鬼の宝ものを奪って、自分のものにしたい」という理由で鬼退治に行くのは、びっくりだったし、ショックでした。はじめは、鬼は退治されて当たり前だと思っていたけれど、鬼の立場に立って考えてみると、桃太郎は盗人で、鬼の宝ものを奪い取る悪者ではないかと思うようになりました。

こわい、恐ろしいと思っていた鬼が、もっと身近に感じられました。

私は、この調べ学習で、200冊以上の本を読みました。答えは、全部本の中に書いてありました。今回の調べ学習でもっともっと図書館が好きになりました。

昨年から目標だった賞をとれたことをとてもうれしく思います。

このたびは、素晴らしい賞をいただき、ありがとうございました。

2019年2月23日　　　　　　　　　　　　　　　倉持よつば

後記──よつばさん、ありがとう

　この本は、倉持よつばさんが、第22回「図書館を使った調べる学習コンクール」（主催：公益財団法人図書館振興財団「袖ケ浦市図書館を使った調べる学習コンクール」推薦作品）の《調べる学習部門》小学生の部（高学年）で「文部科学大臣賞」を受賞した作品を書籍にまとめ直したものです。

　この「第22回コンクール」（募集期間＝2018年9月10日〜同年11月26日）には、10万7708もの応募作品があり、その頂点となる賞の受賞作がよつばさんの『桃太郎は盗人なのか？　―「桃太郎」から考える鬼の正体―』でした。

　しかし、「頂点の賞の受賞作」だから書籍にしたいと思ったわけではありません。この「文部科学大臣賞」は、毎回、小学生低学年から大人まで、応募年齢によって6つに分かれ、それぞれ1作品が選ばれますし、私も近年では10回以上この表彰式に出席して、受賞作品を拝見してきました。いずれもたいへん優れた作品で、受賞されるのは当然の秀作揃いです。受賞作だからという理由なら、それらの作品すべてでそう考えたでしょう。

　それら秀作のなかで、どうしても単行本として刊行し、多くの人々、特によつばさんと同学年あるいは中学生の方々に読んでもらいたいと思ったのは、表彰式の日（2019年2月23日）に、思わずよつばさんに掛けた私の言葉に表れています。また、当日出席者に配られた公益財団法人図書館振興財団の「作品紹介文」と「審査員講評」に書かれていたことが、私の思いとピッタリと一致していることにもありました。

　「よく調べていますね。先ほど別室に展示されていた作品を読みましたけど、わかり易くまとめているし、次つぎと湧いてくる疑問をどんどん解決しようと調べているのに感心しました。これからも頑張ってくださいね」（思わずよつばさんにかけた言葉）

　この言葉のなかにある「別室に展示された作品」のなかには、受賞した本体作品だけでなく、その3倍以上の分量となる「資料編」がありました。そこには、こつこつと所在を探し、見つけてはしっかりと読んだ149冊の関連書籍の「読み比べ」などがありました（その内容は、この書籍のなかに取り入れています。なお、実際は200冊以上も読んだそうです）。この尽きることのない疑問に取り組む姿勢に、私たちは学ぶべきものが数多く含まれていると感じました。それが単行本化

の動機です。

財団の「作品紹介文」と「審査員講評」も紹介させていただきましょう。

「桃太郎盗人説の真偽を確かめるべく、全国の桃太郎を読み比べ。すると、桃太郎の話が時代によって異なることを発見。どのように物語が変化していったのか、江戸時代の文献にまでさかのぼり、各時代の桃太郎像をあぶり出します。さらに『鬼』の正体を探るべく各地を訪ね歩き、自分なりの答えを導き出します」（作品紹介文）

「まず昨年（2018年2月）の受賞の副賞でもらった本に福沢諭吉が『桃太郎は盗人だ』と書かれていたことに衝撃を受けたことがテーマ設定のもととなった着眼点が素晴らしい。次に岐阜の図書館が所蔵する桃太郎関連の全書籍74冊を含め様々な図書館等で149冊の書籍の全てを読破しその内容を1つずつ比較検討した努力は群を抜いています」（審査員講評）

また、作家の椎名誠先生からもご推薦を、次のようにいただきました。

「これまでほとんどの日本の子どもたちが頭に浮かべた鬼の存在とそれにからむ謎や疑問。でもそれらを解明できないままにほとんどあいまいに通り過ぎてしまったのではなかったか。『倉持よつばさん』は毅然としてそこから奥につきすすみ、民俗学者を含む多くの大人たちが思いもよらなかった『人と鬼』の巨大な謎の解明に近づいた。

それはもうひとつの『日本史と人間の裏面史』の解明にまで近づいたのです」

これらに記されている「よつばさんの探究心」への共感が、この本を刊行することで、さらに多くの人々の心に響き広がってゆけばと願っています。

私の願いを驚きながらも聞き入れ、単行本として刊行することをお許しくださった、倉持よつばさん、お母様の倉持優子さんはじめご家族の皆さまに、記して御礼を申し上げます。

椎名誠先生には、お忙しいなかよつばさんの作品を丁寧にお読みいただき、お心のこもった文章をいただきました。深く感謝申し上げます。

また、公益財団法人図書館振興財団理事長・石井昭様をはじめ、今回多くのご助言やご協力をいただきました同財団事務局長・佐藤達生様、事務局の奥村道明様・植村圭子様、株式会社図書館流通センター仕入部部長・池田和弥様に深く御礼を申し上げます。

2019年8月15日

新日本出版社 社長 田所 稔

143

■著

倉持よつば（くらもち　よつば）

2007年4月生まれ。第22回「図書館を使った調べる学習コンクール」調べる学習部門小学生の部（高学年）において「桃太郎は盗人なのか？―『桃太郎』から考える鬼の正体―」で文部科学大臣賞を受賞した。

■デザイン・制作／こどもくらぶ（佐藤道弘）

■手がきイラスト／倉持よつば

■写真協力

大江山鬼嶽稲荷神社／男鹿真山伝承館

鬼鎮神社／岐阜県図書館

岐阜県図書館児童書研究室／広済寺

高野山霊宝館／袖ケ浦市立中央図書館／

千葉県立中央図書館／東京都立多摩図書館

なまはげ館／日本の鬼の交流博物館／

博文館新社／浜田広介記念館

桃太郎神社／その他－倉持優子

桃太郎は盗人なのか？―「桃太郎」から考える鬼の正体―

2019年9月30日　初　版
2021年2月25日　第8刷

著　者　　倉　持　よ　つ　ば
発行者　　田　所　　　　稔

〒151-0051 東京都渋谷区千駄ヶ谷4-25-6

発行所　株式会社　新日本出版社
電話　営業03-3423-8402
編集03-3423-9323
info@shinnihon-net.co.jp
www.shinnihon-net.co.jp
振替　00130-0-13681
印刷　株式会社光陽メディア
製本　小泉製本株式会社